Four Thirteenth Century
Law Tracts

Four Thirteenth Century Law Tracts

A Thesis Presented to the Faculty of the Graduate School of Yale University in Candidacy for the Degree of Doctor of Philosophy

BY

GEORGE E. WOODBINE

NEW HAVEN: YALE UNIVERSITY PRESS
LONDON: HENRY FROWDE
OXFORD UNIVERSITY PRESS

1910

Copyright, 1910
BY
Yale University Press

PREFACE

The editor wishes here to express his sincere thanks to the authorities of the British Museum, the Bodleian Library, Cambridge University Library, Trinity College (Cambridge) Library, and Lambeth Palace Library, to all of whom he is under obligation for kindness, assistance, and the free use of manuscripts.

CONTENTS.

Introduction 1
Fet Asaver 53
Judicium Essoniorum 116
Modus Componendi Brevia 143
Exceptiones ad Cassandum Brevia . . 163

INTRODUCTION.

One of the most interesting of the many types of manuscript volumes from the thirteenth and fourteenth centuries is that which was compiled for the use of English lawyers during the period of the first three Edwards. Ranging in size all the way from folio to duodecimo, most often quarto, sometimes illuminated though usually severely plain, it contained, if not the whole, at least a large part, of the library of the lawyer who owned it.[1] The volume usually begins with a collection of the Statutes which goes down to about the time the book was written. Following this come a number of tracts and treatises, among which, in addition to the four here reproduced, will be found Hengham's two Summae,[2] Summa Bastardiae,[3] Cadit Assisa,[4] Brevia

[1] For a description of the library of a lawyer of this period see the Law Quarterly Review for October, 1905. Other volumes are described in: Selden Society Publications, vol. IV. pp. 11, 13; Rolls Series, Year Book for 20-21. Edward I. pp. XI–XX.

[2] Printed with Fortesque's 'De Laudibus.' Our page references to Hengham apply to the first, 1616, edition.

[3] A fairly short tract on the general subject of Bastardy. Written sometime in the reign of Edward I.

[4] This is an abridgment of what Bracton has written in his treatment of the Assise of Mort d'Ancestor. It begins with the writ, follows largely Bracton's order, and,

2 Four Thirteenth Century Law Tracts

Placitata,[1] and the Court Baron.[2] Often a Register of Writs[3] completes the volume, less frequently a text of Britton[4] is inserted. Some of the manuscripts contain portions of the Year Books, others have extracts from the Plea Rolls, Notabilia, Vocabularies, or insertions of a purely local or personal significance. Outside of such a volume as this which we have described the four tracts of which the text is given below are seldom, if ever, found.[5]

although omitting large sections of the 'De Legibus,' keeps to the very language of the longer treatise, even citing the cases. With reference to the folios of the printed text of Bracton the order of subjects in Cadit Assisa is: fols. 272–276, 278, 278b, 279b, 280, 278b, 280–280b, 278, 277b, 278.

[1] Described by Prof. Maitland in his introduction to the Court Baron, Selden Soc. Pub., vol. IV. p. 11. An edition of this treatise, which is found in at least thirteen manuscripts, is now in press.

[2] To the list of manuscripts given by Prof. Maitland in which the Court Baron occurs may be added, Hh. IV. 1, Hh. III. 11. (Cambridge University Library); and Rawlinson C. 507 in the Bodleian.

[3] See History of the Register of Original Writs, Harvard Law Review, III. 97–115, 167–79, 212–25.

[4] In the introduction to Nichols's edition of Britton is given a list of the manuscripts containing the text of that treatise. A few others have since been discovered.

[5] A list, not complete, of the manuscripts in which our four tracts, one or all, may be found includes the following: In the British Museum — Harley MSS., 395, 408, 409, 667, 673, 748, 858, 869, 948, 990, 1033, 1120, 1208, 1690, 1755; Additional MSS., 5761, 5762, 6061, 32085; Lansdowne MSS., 467, 471, 652; Royal MSS., 9 A. VII., 10 A. V.,

Introduction

The age following Bracton can not be considered, strictly speaking, a period of original legal writing. Even the long treatises of Fleta and Britton are but later editions of Bracton made over and, to some extent, revised. By far the greater number of shorter treatises and tracts—and the age was rich in them—are little, if anything, more than compilations. But what these tracts lacked in originality they made up by their conciseness. Their very brevity, when compared with the ponderous folios of Bracton, was a point in their favor. Of all the many tracts Fet Asaver and Judicium Essoniorum were the most often copied. Cum Sit Necessarium and Exceptiones ad Cassandum Brevia came later, and appar-

15 A. XXXI.; Egerton MSS., 656; Stowe MSS., 386. In the University Library at Cambridge — Ee. I. 1, Ee, I. 5, Ee. II. 19, Dd. VII. 6, Dd. VII. 14, Dd. IX. 72, Hh. IV. 1, Hh. III. 11, Ll. IV. 17; Add. 2827, 3022, 3036, 3039. In Trinity College, Cambridge — O. 3. 20, O. 3. 24. In Lambeth Palace Library — 166, 179, 350, 499, 788. In the Bodleian Library, especially among the Douce and Rawlinson C. manuscripts, are many more. The Library at Lincoln's Inn contains manuscripts of this sort, and there are many scattered among the private libraries in England, some of which are catalogued in the Reports of the Historical Manuscripts Commission. Those which were formerly in the Phillipp's Library at Cheltenham have now in large part been sold, mostly to book dealers and private collectors. Such manuscripts as Dd. VII. 6. and Dd. VII. 14. — which contains a text of Bracton in addition to the shorter tracts and the Statutes — are rare.

ently never attained as great a degree of popularity as the other two. Yet they must be considered as being among the more usual and common of the thirteenth century tracts. None of these has any claims to such a position as was held by Bracton or Britton, but we may be very positive that for the lawyers of at least three generations they had a real value, and from the standpoint of actual usefulness occupied a place which the longer and more involved treatises did not fill.

An additional point of interest in regard to our first three tracts is that, while the authorship of them is uncertain and while the manuscripts almost without exception omit the name of the author, they are all, by some manuscript or other, attributed to Ralph de Hengham,[1] the acknowledged writer of two Summae, and one of the foremost of the many famous judges of the time of Edward I. Moreover, as we shall see, the internal evidence connects two of them so closely with the Summae of Hengham as to make it seem at least probable that he was the author.[2]

[1] See the Dictionary of National Biography.

[2] Hengham did, apparently, write more than tradition has given him credit for. In a manuscript in the University Library at Cambridge — Add. 3097 — are several folios of what amounts to a real abridgment of some of the early statutes. Preceding this abridgment is:

I.

At the end of the first edition of Fleta[1] appears the only text of Fet Asaver[2] that has hitherto been printed. A comparison of that text with the one here reproduced will show that the form in which the tract is given in Fleta is so abbreviated as to contain less than the first half of its actual contents. This discrepancy requires a word of explanation. We can hardly believe that Selden, with his wide knowledge of legal manuscripts, was ignorant of the real length of one of the most common of all the thirteenth century tracts. We can even less readily believe that he wished to have a mutilated fragment of that tract appear at the end of a long treatise with which it

Statuta abreviata { Merton. Marlberge. Prima Statua Westmonasterii. Gloucestria. Secunda Statuta Westmonasterii. } per Radulphum de Hengham.

It is quite possible that Hengham may have made this abridgment preparatory to writing the Parva Summa in which direct reference to these statutes is frequently made. We are of the opinion that the final biographer of this great judge will have something to say of his connection with the development of the Casus Placitorum (see below) and the Year Books.

[1] Printed also at the end of the second, 1685, edition.
[2] This is the usual spelling. The principal variations are Feet, Fait, Assaver, Assavoyr.

6 Four Thirteenth Century Law Tracts

was in no way connected. An examination of the manuscript[1] from which Fleta was printed proves beyond any doubt that the insertion of Fet Asaver in the first edition of Fleta was the result of a double mistake, made first by the fourteenth century scribe who copied the manuscript, and later by the seventeenth century printer. In the manuscript the text of Fleta ends on folio 156. A vacant space of six lines follows. Fet Asaver begins at the top of folio 156b, with nothing but the change in language to mark it off from the Latin treatise. It goes to the very end of the last line on folio 158— which has the same number of lines as the preceding page—and ends abruptly, the period of the printed text not being found in the manuscript. Folio 158b is blank. Quite evidently the scribe was copying from an exemplar in which the French tract followed Fleta and copied it as part of the latter. When he reached the end of folio 158, or at least before he was ready to begin on folio 158b, the error was discovered and no more of Fet Asaver was copied. When it was desired to print Fleta, the manuscript —as was the custom of those days—was sent

[1] A British Museum manuscript, Julius B. VIII. It is apparently the only early manuscript of Fleta now extant. At the foot of the first page are these names and dates: Robertus Cotton Bruccus, 1603. J. Selden. Tho. Clarke, 1731.

to the printer who zealously, and for the most part accurately, put in type both the text and the marginal comments,[1] and Fet Asaver at the end.

Whatever may be our present day judgment of this Anglo-French tract on procedure, it was, in its own time, so popular as to be more often copied than any other piece of legal literature with the possible exception of Hengham's Summae. In the larger and more accessible collections of manuscripts there are over fifty copies of Fet Asaver. Hidden away in smaller collections and private libraries are doubtless many more, for the tract is found in all manner of compilations of legal writings. By far the larger number of these manuscripts of Fet Asaver belong to the early fourteenth century. Some are doubtless from the late thirteenth, but only a very few seem to have been written in the late fourteenth century. In common with other tracts of about the same period Fet Asaver was made more and more obsolete by an increasing amount of statutory enactment. At first those parts which did not conform to the earlier statutes were omitted, and

[1] Such words as Nota, Solutio, Statutum, which occur in the margin of the printed text were written in the margin of the manuscript by some one other than the original scribe.

8   Four Thirteenth Century Law Tracts

as time went on the tract ceased altogether to be copied.[1]

Today we may not find it easy to account for the widespread use and popularity of this little treatise. But some sort of real and enduring value it must have had, for in those early days manuscript volumes were all too precious to be burdened with useless contents. Of the reasons for its popularity we can understand at least a few. It was not too long; a place for it could be found in almost any collection of legal writings. It was to the point; it dealt with the practical procedure of every day use, and made no pretense of discussing the theory of the law in its wider aspects. Here and there an illustration or amplification of a point to show the basic reason for a certain course of action enlivened the otherwise bare outline of procedure; but in general its statements of fact were short and decisive, and

[1] The far-reaching effects of the legislation of Edward I. are very clearly seen in the XIIIth–XIVth century manuscripts of legal treatises of a slightly earlier period. In the margin of a manuscript already written would be jotted down some such note as, " This has been changed by the first Statute of Westminster." When that manuscript was copied the passage in question would either be changed to conform to the new law or be altogether omitted. The question of the period of limitation for the assise of Novel Disseisin in the Statute of Merton is a case in point. (See below.) Of the more than forty existing manuscripts of Bracton only seven have the writ of Mort d'Ancestor unaffected by the first Statute of Westminster.

said little more than that under such and such conditions the process would be thus and so. That is was written in Anglo-French[1] instead of in Latin was another point in its favor. Again, it treated of those subjects which would be of the greatest general interest, treated some of them briefly, to be sure; but if it said little of Trespass, which afterwards became such a "fertile mother of actions," it had much to say of Essoins and Defaults, "the bulkiest chapter of our old law."

Of the approximate date of Fet Asaver we can be quite certain. While many of the manuscripts, influenced by the first Statute of Westminster, give the time limit for the assise of Novel Disseisin as Henry III's. first voyage into Gascony, others mention the first voyage into Brittany as the limiting date. This shows that the tract was written before 1275.[2] But we can fix the date more narrowly than that. Three

[1] On the use of Anglo-French at this time see the introduction to the first volume of the Year Books published by the Selden Society; and Pollock and Maitland, Hist. Eng. Law, I. 80–87.

[2] By the Statute of Merton the limiting date for this assise was set at Henry III's. first voyage into Brittany. (Although the printed text of the statutes gives Gascony the variant of the better MSS. reads Brittany.) The voyage into Gascony is named as the date in the first Statute of Westminster. See Pollock and Maitland, Hist. of Eng. Law, II. 51, and Harvard Law Review, III. 102, 215.

times the process to compel the defendant to appear is given, each time the same.[1] There is to be: 1. Summons. 2. Attachment by pledges. 3. Attachment by better pledges. 4. Distraint by lands and chattels, the sheriff being commanded to have the body. 5. Distraint by all lands and chattels so that no one meddles with them, the sheriff meanwhile to be responsible for the issues. Bracton's scheme for the same process is as follows:[2] 1. Summons. 2. Attachment by pledges. 3. Attachment by better pledges. 4. Habeas Corpus. 5. Distraint by lands and chattels. 6. Distraint by all lands and chattels so that no one interferes with them. 7. Distraint by all lands and chattels so that the sheriff shall be answerable for the proceeds. 8. Outlawry. A comparison of these two schemes shows that Fet Asaver has left out the Habeas Corpus as a separate writ, and has inserted the command to have the body in the first writ of Distress. Where Bracton has three writs of Distress, Fet Asaver uses two writs of Distress to accomplish the same result. In 1267 the Statute of Marlborough provided that the last, or Grand, Distress should follow the second writ of Attach-

[1] In the process "de fere venir lassise", in the assise of Mort d'Ancestor, a writ of Habeas Corpus is inserted before the first writ of Distress.
[2] Bracton, fol. 439-441.

ment.[1] The first Statute of Westminster did away with all between the first attachment and the last Distress.[2] In other words, from Bracton to 1275 there was a progressive shortening of this process.[3] The plan outlined in Fet Asaver would obtain somewhere between Bracton[4] and the Statute of Marlborough, coming closer to the latter. We may therefore assign this tract to the later part of the reign of Henry III., sometime before 1267.

As to the source or authorship of Fet Asaver we can not be so positive. It is more or less closely connected with several of the other tracts and treatises of about the same period. In not a few of these we often find unmistakable evidence of direct copying, but whether one tract borrowed from another or both borrowed from a common original is not an easy matter to decide.[5]

[1] Cap. 12. "Ita quod secundum attachiamentum sit per meliores plegios et post modum ultima districtio."

[2] Cap. 45. "Des delais en totes manere de brefs de attachemenz est purveu qe si le tenaunt ou le defendaunt, apres le primer attachement testmoigne, face defaute, qe meintenaunt seit le graunt destresce agarde."

[3] See Pollock and Maitland, Hist. of Eng. Law, II. 593.

[4] A discussion of the date of Bracton's treatise will be found in Bracton's Note Book, ed. F. W. Maitland, I. 34–45.

[5] Some of the points of similarity are more apparent than real, being due to the fact that the exigencies of legal nomenclature would lead the different authors into a similarity of expression when discussing the same subject.

12 Four Thirteenth Century Law Tracts

It is the so called "first member" of Fet Asaver—nearly one half of the whole text—which especially associates it with other works, among which are Bracton, the Magna Summa of Hengham, Casus Placitorum, Brevia Placitata, and Fet Asaver Magna. Of the last named we need say no more than that it appears to be the result of an attempt to unite Fet Asaver and Brevia Placitata without the addition of anything original. Some of the manuscripts of Brevia Placitata, which differ considerably among themselves both in order of subjects and in actual contents, have certain passages which are very similar to parts of Fet Asaver.[1] These passages are usually found in the first part of Brevia Placitata and under the rubric "Regula", the paragraphs of which nearly always begin "E fet asaver." The Casus Placitorum,[2] called also Cas de Demandes and Cas de Jugement, is made up of judgments and decisions of prominent judges—most of whom flourished before 1260[3]—of

[1] That Brevia Placitata should treat at length many subjects of which Fet Asaver only hints is but the natural result of the more comprehensive nature of the longer treatise.

[2] A British Museum manuscript, Lansdowne 467, has for a title to the Casus, " Casus quidam formati cum iudiciis redditis eisdem per iusticiarios Regis." This title explains the probable intention of the original compiler.

[3] A list of the judges whose decisions are mentioned in the Casus includes Thurkilbi, Henry de Ba or Baa (which

Introduction

short statements of legal principles, and of rules of procedure. Under different forms it is found in several manuscripts, most of which show plainly the influence of the early Edwardian statutes, though some of its contents would seem to indicate an earlier date for the composition of the Casus. This is probably due, however, to the fact that the originals from which it was compiled have retained so much of their old form[1] in the

must be an abbreviation meant either for Henry of Bath or Henry de Bracton), Simon de Wauton, Alan de Wausand, Gilbert de Preston, and Henry of York. (See Dict. of Natl. Biog.) Apparently the compiler of the Casus had access to certain rolls from which he could pick and choose his cases. In this connection it is of interest to note that the Magna Summa of Hengham contains references to judgments of Thurkilbi and Henry de Baa — for thus is the name given in the printed text as Henry de Bathonia usually spelled in the manuscripts. These two names are found also in some manuscripts of Brevia Placitata, as in the Lambeth Palace Library manuscript 449, which in the "Defense" of the writ of Advowson has the record of a case tried in the court of the king at Westminster before "Sire R. de Thurkilbi e mon Sire H. de Baa." Is the *mon* to be emphasized?

[1] Not infrequently the old form and the new are both given. Harley 748, a British Museum MS., on folio 194b has the period of limitation for the assise of Mort d'Ancestor as defined by the first Statute of Westminster, while on folio 199b the period of limitation which was legal before 1275 is given. Harley 1208 has the following passage: "Le bref de cosinage ne curt pas del Rey H. ael cestuy Rey, mes pur ceo qe le exception ne fu mise avant qe veue de terre fust demaunde, estut le bref par Reg. E par H. de Ba ne il ne curt fors de tens del bref de mort de

14 Four Thirteenth Century Law Tracts

copying that the text of the Casus is an indication of the age of these originals rather than of its own composition. It was written to show not so much what was then the law as the rulings of judges in regard to the law of an earlier period. Some passages of Fet Asaver are found in the Casus.[1]

auncestre. Ceo est asaver del tens le Rey Ricard, e nent avant."

It is not out of place to note here that the Casus as it developed was the forerunner, and in a way the exemplar, of the Year Books. As in the Year Books, many of the paragraphs of the Casus begin with, " Un prodhomme porta un bref " or " Un homme enpleda". Usually the rubrics are either Casus or Nota, the first being used for the passages whose beginnings we have just quoted, and the second for such a passage as this: " Cely qui deyt voucher a garaunt enfaunt dedenz age il deyt nomer tous iceus qui ryen ne unt de sa terre, e cely qui ad le cors." (Cf. text of Fet Asaver, p. 74 below.) In other words, the rubric Casus marks the actual pleaded case, and Nota that part which corresponds to the " Nota " of the Year Books.

[1] A comparison of one part of the text of Fet Asaver with corresponding passages in the Casus and in Hengham Magna is here made:

A. = Casus. (Dd. VII. 14, fol. 365b.) . . . Par mout de resons poet hom
B. = Fet Asaver . . . Ore est asaver ke par mulz de exceptions poet hom
C. = Hengham, p. 56 . . . Harum quoque exceptionum quaedam sufficiunt ante
A. .abatre bref devaunt veuue demande, pouer nad apres.
B. .abatre bref devaunt veue de tere demaunde ke poer ne unt apres.
C. .visum terrae ad cassandum breve, quaedam post visum nihil
A. .   Les exceptions ke

Of all the tracts and treatises which we have mentioned the Magna Summa of Hengham is the most closely connected with

B..E acuns unt le poer meuz apres ke devaunt. Les exceptions ke

C..operantur quia nulla dilatoria locum habet post visum. . . . proponamus dilatorias quae tales sunt.

A...sount encountre la nature del bref, sicum un vile pur un autre

B...sunt encontre la nature del bref, e del escripture, sicum

C... Vitium scripturae, rasurae

A...ou un noun pur un autre, ou ke le bref ne gyst mye en teu cas,

B...un noun pur un autre, ou un surnoun pur un autre; ou ke le bref

C...literae in hoc brevi patenti, error nominis pro nomine, agnomi-

A... abat un bref devaunt veuue demande.

B...nigist mie en ceo cas, abatent le bref avaunt veue e nient

C...nis pro agnomine, unius villae pro alia, et quando breve impetratur extra naturam sui ipsius, et consimiles, cassant breve ante visum.

A...Mes les exceptions del nountenure kant len ne poet detant

B...apres. Mes exception de nontenure kant homme ne poet devaunt

C...Excussis autem istis exceptionibus, aut tenet locum aut non.

A...respoundre cum est contenu en le bref pur ceo ke yl ne tent pas

B...respondre, sicom kant le tenant ne tient pas tot

C...

A...pleynement, ou kant le tenaunt ad

B...pleinement la demaunde del demaundant, ou kant le tenaunt ad

C...

A...parceners, e en teu cas semblables abate le bref apres veuue.

16 Four Thirteenth Century Law Tracts

Fet Asaver. This statement applies especially to the last seven chapters of the former and the first third of the latter. The Summa

B...parceners saunz les queus il ne deit ne poet respondre, celes exceptions abatent ambedeus avaunt veue e apres. Ore fet asaver ke partot ou homme poet voucher a garaunt si poet homme aver la veue, e en acune cas plus souvent, kar en le Quod permittat si poet homme aver la veue e nient voucher a garaunt. E en autres tels cas semblables, sicom kant un homme voet voucher hors de la line, e la ou est son tort demeyne, la ne poet il nient voucher a garaunt.

C...Generaliter autem intellige quod ubi tenens potest vocare ad warrantiam, potest habere visum, nisi fuerint in casibus quibusdam specialiter exceptis ut si mulier petat dotem petens non habeat visum de tenementis unde vir obiit seisitus, tamen potest vocare ad warrantiam et in brevibus de ingressu ubi fit mentio de gradibus ibi conceditur visus. Verumtamen non potest ibi vocare ad warrantiam extra lineam tantum respondere ad ingressum. et potest aliquando haberi visus ubi non potest vocari ad warrantiam, ut in brevi Quod permittat.

A...Mout est folie a voucher a garant

B...E si est asaver ke il est grant folie de voucher a garaunt

C...Periculum est autem ante visum vocare ad warrantiam,

A...devaunt veuue demande, sy avant ne ust hu la veuue, par ceste

B...devaunt ke homme eit eu la veue,   par ceste

C...   verbi

A...reson. Ce est un cas, Un home fu enplede de une verge de tere,

B...resoun.   Un homme enpleda un autre par un bref de

C...gratia.   Quidam petiit versus quendam unam caru-

A...   e le tenaunt oud deus verges

Introduction

does not touch on the subjects contained in the second half of Fet Asaver. Hengham's object in writing his treatise was, as we

B...dreit de une vergee de tere; le tenaunt tint deus ver-
    gees de
C...catam terrae cum pertinentiis in H. et tenens ille
    habuit duas
A...en memes la vile. Le demandant ne avoyt dreyt al
    un ne al
B...tere en meme la ville. Le demandaunt ne out dreit
    al un ne al
C..carucatas in eadem villa; petens vero non habuit ius
    nec ad unam nec ad aliam.
A...autre, mes yl qui deut aver droyt al une ke ore ne
    poet le
B...autre   Ore ne poet le
A...tenant iamays saver quele chose len luy demande
    eyns ke yl eyt hu
B...tenaunt iammes estre cert quele des vergees lem lui
    demande
C...Ipse tenens cum non potuit esse certus quid ab eo
    peteretur
A...la veuue;   e vent le tenant avant ke yl
B...avaunt ke il out eu la veue. E vint folement avaunt
    ke il out
C...antequam visus inde sibi fieret; venit antequam visum
    petiit
A...hu la veuue, e voucher a garant un R.   R. de-
B...eu la veue, e voucher a garaunt un R. ki vint par
    somonse e de-
C...et vocat inde ad warrantiam C. qui summonitus fuit,
    venit et
A...manda quey yl avoyt de la garantye, e le tenant jette
B...maunde par quey il le voucha a garaunt. E il mist
    avaunt une
C...petiit sibi ostendi per quod debeat ei warrantizare
    qui pro-
A...avaunt une chartre.
B...chartre par quey il fut tenu a la garauntie del une
    vergee de

18 Four Thirteenth Century Law Tracts

learn from his introduction, to put into concise form the methods of pleading which were then in use.[1] His work is a compila-

C...tulit quandam cartam per quam antecessores ipsius C. et heredes sui debeant warrantizare unam carucatam terrae in eadem villa;
A... "Jeo ne demand nent
B...tere. E le demandaunt dist, "Jeo ne demaund mie cele vergee de tere
C... et petens dicit quod non petit dictam carucatam terrae
A...ne unke ne fesoy cele verge de tere eyns fas le autre."
B...ne unkes ne demaundai, mes lautre."
C...sed aliam.
A...Le garant partant party quites;
B...E le garaunt partant partist quites, purceo nul homme ne le enpleda de la tere dont il fut tenu a la garauntie.
A...dunkes voleyt le tenant meymes respoundre.
B...E kant le tenaunt vist ceo voleit memes respondre al chef
C...Et tenens cum hoc vidit voluit respondisse de capitali
B...play, mes le demandaunt demaunda jugement, sil pust resortir
C...placito, et petens petit iudicium si, post warrantum vocatum, possit
B...a ceo response c respondre al chef play apres garaunt vouche;
C...tenens respondere de capitali placito;
B...e fust agarde ke non, puis ke son garaunt ly faut.
C...et consideratum fuit quod non, sed quod ille quietus de warrantia, et quod petens recuperet seisinam suam versus tenentem, tanquam indefensum, et tenens in misericordia. Coram Henrico de Bathonia.

[1] "Ego non ad instruendum aliquem super huiusmodi legibus regni, verum ad materiandum futuris correctibus quaedam introductura, non serie qua debui sed qua scivi, proposui compilare." Compare Bracton, fol. 1, "ad instructionem saltem minorum, ego talis animum erexi ad vetera iudicia iustorum perscrutando diligenter," etc.

tion, not an original treatise. The sources of which he made use were not many. His first chapter may have been taken from some Register of Writs. The second chapter is clearly a restatement of the first four chapters of Glanvill. Here and there he introduces material which suggests that he may have made use of Brevia Placitata. But his main source and basis is that part of Bracton which has to do with the Writ of Right, Essoins and Defaults, and Warranty, —in the printed text folios 328 to 383.[1] Though obliged by the limited scope of the Summa to pass over much that Bracton has written Hengham follows his exemplar in both the treatment and the order of subjects, notwithstanding the fact that from time to time he introduces some additional matter.[2] As he promises in his introduction to discuss subjects of which we find no mention in the main text we may consider

[1] A rather general comparison of the chapters of the Magna Summa with the folios of Bracton is as follows: Cap. I. — fol. 328–329. Cap. II. — fol. 329b — 330 Cap. IV. — fol. 330, 330b. Cap. V. — fol. 332–334. Cap. VI. — fol. 334b. Cap. VII. — fol. 337, 342–343. Cap. VIII. — fol. 365, 365b. Cap. IX. — fol. 365b — 371b. Cap. X. — fol. 375b–379b. Cap. XI. — fol. 367b–368b. Cap. XIII. — fol. 380–383.

[2] This is of interest for the light it throws on the early influence of Bracton's treatise. Hengham Magna, and not Britton or Fleta, was the earliest Summa to develop out of the "De Legibus". We have been accustomed to con-

20 Four Thirteenth Century Law Tracts

the Summa to be an unfinished piece of work. It was written, if we may judge from the text, somewhere between the years 1270 and 1275.[1]

sider the letter of the Bishop of Bath (Robert Burnell, formerly Lord Chancellor) to R. de Scardeburgh, February 2, 1277, as the earliest known recognition of Bracton's work. (See Selden's Diss. ad Fletam, cap. II, sect. 2.) The Magna Summa antedates this by several years. It may be argued that Bracton treated so thoroughly the Writ of Right, Essoins and Defaults, and Warranty, that any one writing shortly after him would be obliged to reiterate much that had already been written in the " De Legibus". This is so; but a comparison of Bracton and the Magna Summa will show beyond any doubt that in Hengham's case the similiarity was intentional and not the result of mere necessity or chance.

[1] The mention of the year 53 Henry III. furnishes one limiting date, while the last few lines of the Summa help us to decide on the other. In this latter place most of the manuscripts, unlike the printed text, have, " tempore Regis Ricardi avunculi Regis Henrici patris Regis Edwardi." This is in agreement with the first Statute of Westminster. Some of the manuscripts, however, read, " tempore Regis Henrici avi Henrici Regis patris Regis Edwardi", which was the legal period for this writ before 1275. The process for compelling the visores to be present (p. 53) is that which would obtain between the dates which we have assigned. It is this: 1. Attachment by pledges. 2. Attachment by better pledges. 3. " Per corpora eorum" — not the first writ of Distress but the Habeas Corpus. 4. Distraint by the Grand Distress. In a similar process Fet Asaver has two distraints follow the Habeas Corpus. (See above, p. 10, n. 1.) An earlier process is given in Bracton, fol. 354–354b. Before the Statute of Marlborough there would have been two writs of Distress after the Habeas Corpus, and after 1275 the second writ of Attachment would have disappeared.

Introduction

In that portion of their contents in which they agree Fet Asaver and the Summa show a striking similarity.[1] In some passages they agree almost word for word, being practically a literal translation the one of the other. Not all of the first part of the French tract has been incorporated into the longer treatise, some whole sections of the text have been passed over, but in general the assimilation has been very thorough. In using Fet Asaver Hengham did not follow its order of subjects, but changed that order to correspond with Bracton's order. Now the Magna Summa is so much more extensive and comprehensive than Fet Asaver, whose text, transferred and disjointed, is sometimes almost lost sight of in the broader treatment of the larger work, that any one noticing the relationship between the two would very naturally be led, on first thought, to consider Fet Asaver a restatement of certain parts of the Summa. But we can not accept that explanation. As we have already noticed, the French tract three

[1] This ageement is often noted in the margins of the manuscripts. In some instances cross references have become part of the text of even early manuscripts. The variants given in the foot-notes to the text below will show some of the references to Hengham. A manuscript in the Cambridge University Library, Dd. IX. 7, has in the Magna Summa (at what is l.14, p. 59) ". . . in brevi Quod permittat. Et ea scribitur in summa Feet Assavoyr, et patet ibi et hic."

times gives a form of procedure which was changed by statute some years before the Summa was written. Although that form of procedure is each time given in another part of the text from that which shows an agreement with Hengham we can not in any way assume that the "first member" was written after the rest of Fet Asaver. As a composition the tract is a unit,[1] and follows from the very beginning a scheme which is outlined at the start,—a scheme in which the "first member" naturally and of necessity occupies the first position. In order to consider Fet Asaver to have been copied from the Summa it would be necessary to suppose that the author of the former was guilty of deliberately stating as the law of his own time a process which was not only obsolete but even illegal. And that is not to be thought of. If was from Fet Asaver that Hengham copied into the Summa, and not vice versa. We may well ask why it was that with a portion of Bracton's treatise as his exemplar the great judge should have incorporated into his Summa in so extensive a way such a large part of a com-

[1] But unfinished. There is left out that promised third class of pleas (see page 53 of Fet Asaver) which have to do with both land and trespass, pleas which would include " de garde aver " and " aquitance des custumes e des servises ". See the first paragraph of Modus Componendi Brevia below.

paratively minor work. In answer it is not enough to say that Fet Asaver was also based on Bracton, and that Hengham found there already at hand just the abridgment of certain parts of Bracton which he wished to use. Although the custom of the time allowed great leeway in the matter of copying from other writers it is not likely that for mere convenience alone Hengham would have expressed his own ideas in the very language of another. Certainly he could not have either wished or hoped that the fact of his having used the words of another author would be hidden simply by a translation into another language. His real reason for using Fet Asaver must have been of another nature. And when we seek for that reason we find that the explanation which will best explain the intimate and peculiar relationship existing between the two treatises is the supposition that Hengham was the author of both.

The suggestion that Hengham was the author of Fet Asaver does not rest on mere assumption alone. By two manuscripts the tract is ascribed to him. In an early fourteenth century manuscript at the Bodleian, Rawlinson C.331, at the end of Fet Asaver, and in the same hand as the text, is, "Explicit Summa parva de Hynham." A Cambridge University Library manuscript, Ee.I.

5, also assigns it to Hengham with, "Secundum Radulphum de Hengham," though this latter ascription is in a hand much later than that of the text. Unfortunately this kind of evidence is not as decisive as we could wish; the "Incipits" and "Explicits" of manuscripts are not seldom incorrect. Yet in this case such information has a definite value. That the tract is assigned to the same person by two manuscripts lends more weight to the evidence than if only one had attributed it to him. While we may wish that more manuscripts gave the name of the author we can at least say that Hengham is the only writer to whom any of the manuscripts attribute the tract. Moreover such a suggestion is in agreement with the trend of evidence furnished by the texts themselves. Although we may have far from sufficient evidence to justify us in naming Hengham as the author of Fet Asaver we are bound to acknowledge the probability of his being such. In the matter of chronology there is no reason why the two manuscripts noted above may not be correct in ascribing the work to him. Although we do not know just when he was born we do know that in 1270, only three years after the Statute of Marlborough had changed the form of procedure given in Fet Asaver, he was in a position of high judicial authority. We can well believe that some few years before this he would have been both old enough and well enough informed to have written such a tract. If because of our present lack of knowledge of historical facts we say that the authorship of Fet Asaver is unknown, we ought also to add that such facts as we have point to Hengham as the author.

Aside from all considerations of authorship Fet Asaver deserves to be better known. Besides being one of the most popular and most used tracts of its own time, it has, as we have seen, furnished material for at least two other works of a slightly later period. In the development of English law it has had a not uninfluential position.[1] If not for what it is, surely for what it has been it ought to have a place of its own in the great mass of literature connected with that law which has now quite encircled the earth.

A few explanations in regard to the text here reproduced are necessary. It will be noticed that the spelling is not uniform. To make it so would give a very wrong impression of the reading of any one of the manuscripts from which it has been taken.

[1] References to Fet Asaver are not uncommonly found in the margins of other legal manuscripts. Even Bracton is sometimes tested by it. In the margin of a Bracton manuscript in Yale University Library (opposite fol. 255 of the printed text) is, " Contra hoc videtur facere quod dicitur Fet Asaver."

The same word will exhibit a great diversity of forms even in a single manuscript.[1] No marks have been used to denote elision in such words as kil or lassise for the reason that no such marks are used in the manuscripts. Some of the manuscripts give the writs in Latin while others render them in French. We have used the Latin as probably representing the original form.[2] The total number of variants is so large as to make it not only inexpedient but also quite out of question to give them all. Consequently only those which make a real difference in the text reading have been noted. The notation of the manuscripts follows.

[1] In one manuscript within a space of three lines the same word is spelled somenors, soumenours, soumenurs. In another, within the space of six lines, is found essoynor, essoyner, essoynur, essoynour. The *on* of modern French occurs in the forms em, om, um, lum, lem, hom, hum, home, homme. The same scribe will write demandant, demandaunt, demaundant, demaundaunt. This whole subject of the forms and usages of Anglo-French is treated at considerable length by Prof. Maitland in the introduction to the first volume of the Year Books published by the Selden Society. For a criticism of this see in the Rolls Series, 1904, the Year Book for 18 Edward III. p. lxxx.

[2] Several manuscripts make use of both Latin and French for the writs, which are given sometimes in the one language, sometimes in the other. We have examined no manuscript which does not give either some of the writs or quotations from the writs in Latin.

A. = Egerton 656.
B. = Additional 32085.
C. = Royal 15A. XXXI.
D. = Harley 408.
E. = Harley 409.
G. = Stowe 386.
} British Museum.

L. = 179.
O. = 166.
R. = 788.
} Lambeth Palace Library.

S. = Ee. I. 5.
T. = Dd. VII. 6.
V. = Hh. III. 11.
X. = Ee. I. 1.
Y. = Ll. IV. 17.
} Cambridge University Library.

A, B, C, D, E, L, O, X, Y have been collated in full, the others only in parts.

II.

In Judicium Essoniorum we have a tract of a slightly later date than Fet Asaver. Like the latter its text enables us to fix an approximate date for its composition. Not only does it contain some statements which would cease to be true after 1275,[1] but it also gives us the description of several processes which show positively that it was written sometime between the Statute of Marlborough and the first Statute of West-

[1] These parts of the text are in some MSS. noted as being contrary to the first Statute of Westminster, while in others they are omitted. See foot-notes to text and note 1 p. 8 of introduction.

28 *Four Thirteenth Century Law Tracts*

minster. The processes described in the third chapter correspond exactly to the provisions of the Statute of Marlborough in regard to these points of law. The process given in the first chapter is certainly of an earlier type than that made legal by the first Statute of Westminster, although it is in form somewhat later than that which was common immediately after the Statute of Marlborough, and even later than the similar process given on page 53 of Hengham.[1] We would therefore assign it to the period 1267-1275, with the probality of its having been written nearer the latter date.

As to its authorship we can learn nothing definite. Of the many manuscripts of this tract now extant, none, so far as we have been able to discover, gives the name of the writer. Tanner mentions a manuscript in which this tract and Modus Componendi Brevia were ascribed to Hengham.[2] As a matter of fact Judicium Essoniorum agrees more closely with Hengham's Summa—not,

[1] See introduction p. 20, n. 1 and p. 10. n. 1.

[2] "In MS. Norwic. More, 287, sunt duae aliae summae huic Hengham ascriptae, scilicet Summa judicandi essonia, capitula VIII. Primum capitulum de difficultate essoniorum. Summa quae dicitur Cum sit necessarium. Primum, Cum sit necessarium querentibus in curia domini regis." Bibl. Brit.-Hiber. p. 392. In the manuscript Dd. VII. 14. the running title in a later hand is, 'Hengham de Essoniis.' See Dugdale, Orig. Jurid., p. 57, for a list of law tracts.

as would be supposed from its treatment of the Essoins, with the Parva, but with the Magna—than with any other treatise. Some of those parts of the Magna Summa which, as we have seen, separate the incorporated portions of Fet Asaver, are either restatements or literal reproductions of the text of Judicium Essoniorum. For the purpose of comparison we will interline three passages of Hengham with three similar passages in our second tract.

A. = Hengham pp. 52–54... In defalta quoque post essonium de malo

B. = Jud. Esson. ... Cum igitur aliqui dubitent qualiter procedendum

A... lecti, post visum terrae factum, post positionem in magnam

B... est post essonium de malo lecti

A... assisam et post vadiationem duelli, reus amittet seisinam per absentiam primi diei. Si visores illi non venerint ad testifi-

B... si tenens non venerit, notandum quod semper visores infirmitatis

A... candum visum suum, quid erit? semper distringantur donec

B... distringi debent ad veniendum ad curiam ad testificandum visum

A... venerint. Primo per vadios et salvos plegios sic. (Here Heng.

B... suum;   primo per plegios,

A... gives the writ and some additional matter not in Jud. Esson.) Secundo si non venerint ad prosecutionem petentis, sic. Rex, etc. Pone per vadios et meliores plegios, etc. et tunc sunt primi

B... secundo per meliores plegios,

A... plegii in misericordia. Tertio per corpora eorum; et tunc sunt

30 Four Thirteenth Century Law Tracts

B... tertio per terras

A...tam primi plegii quam secundi in misericordia. Quarto per terras et catalla, ita quod vicecomes habeat corpora et quod

B... et catalla, ita quod nec ipsi nec aliquis per ipsos ad

A...manum non apponant, et quod vicecomes respondeat de exitibus,

B...ea manum apponant, et vicecomes respondeat domino Regi de exiti-

A...et interim taceat tenens.

B...bus, et quod habeat corpora eorum ad alium diem coram iustciariis. Et tunc omnes plegii sunt in misericordia,et tenens semper interim iaceat; et secundum testimonium quatuor visorum procedendum est.

A...Si autem tenens ad diem sibi datum a visoribus non venerit per-

B...Si autem tenens ad diem sibi datum a visoribus non venerit,

A...sonaliter sed responsalem pro se miserit, admittendus est et

B... sed responsalem suum miserit,

A...eius responsalis audiendus quicunque fuerit responsalis ille,

B... quicumque fuerit responsalis ille

A...dummodo aetatem habuerit.

B...dummodo aetatem habuerit admitti debet eius responsio.

A...Verumtamen si determinative respondeat, utpote si debeat iudicium fieri et loquela terminari, ut de duello vadiato

B...Sed si de eius responsione iudicium faciendum fuerit ut de duel-

A... vel de magna assisa summonita, vel aliquo alio modo unde

B...lo vadiato vel magna assisa summonenda, vel alio modo per quem

A...loquela debeat terminari, tunc debet iudicium illud poni in

B...loquela debeat terminari; tunc iudicium illud poni debet in

Introduction 31

A...respectu quousque per milites de novo missos per breve domini
B...respectu quousque per quatuor milites ex parte domini
A...Regis ad tenentem sciatur ab eo si advocaverit responsalem suum
B...Regis missos ad essoniatum sciatur si tenens advocaverit et
A...praedictum an non.
B...concesserit quod miserit talem responsalem pro eo, et si ratum habuerit eius responsum vel non.

A...(p. 57)...tamen si plures fuerint tenentes successive, per
B...   Item plures possunt esse tenentes successive quorum
A...vocationem ad warrantiam, nullus habebit visum nisi primus
B...   nullus habebit visum terrae licet
A...   tenens. Et quomodo potest tam primus tenens
B...petatur nisi primus tenens.
A...quam successivus vocati visum amittere? Sic. A. petit versus B.
B...   Verbi gratia. A. petit versus B.
A...unam carucatam terrae cum pertinentiis etc. ut ius suum, et B.
B...tantam terram   ut ius suum etc.
A...   venit et vocat inde ad warrantiam
B...Idem B. antequam petat visum venit et vocat inde ad warrantiam
A...C. qui summonitus venit, et antequam warrantizat vel post
B...C. qui summonitus venit, et antequam warrantizat vel post
A...petit visum. Non iacet revera. Quia cum inculpaverit C. sic A
B...petit visum terrae. Queritur utrum habebit visum necne. Ad
A...tort ly deforce par sa garantie etc. Iuris ordo vult quod respondeat
B...quod sic respondeo quod nullum habebit visum quia tenetur

A... ad cartam suam vel ad cartam antecessorum suorum,

B...respondere ad cartam suam vel ad cartam antecessorum,

A...si in carta illa specificatur terrae illa petita. Et licet

B...et in carta specificatur terra illa. Et etiam

A...vocator non habuerit cartam, vocatus debet bene scire de qua

B...si cartam non haberet teneretur scire quam

A...terra cepit homagium et servitium vocantis, unde cum (eum)

B...terram tenet de eo, et de qua terra recepit homagium unde eum

A...warrantizaverit, petens petit eandem terram quam warrantizavit,

B...warrantizaverit, petens petit eandem terram quam warrantizavit,

A...et ideo non iacet visus. Et illud idem dicendum est de decem

B...et ideo non iacet visus. Et sic respondendum est de decem

A...tenentibus si de warranto in warrantum fierent tenentes.

B...tenentibus si de warranto in warrantum vocati fuerint tenentes.

A...Campiones tamen si ad duellum vel ad magnam assisam pervenerint

B...Habebunt tamen campiones secundum quod praedictum est visum,

A...habeant visum post duelli vadiationem vel positionem in magnam assisam,

B...si ad duellum pervenerint vel ad cognitionem magnae assisae.

A...(p. 72) Quum autem plerique sentiunt minus instructi in legibus terrarum quod warrantia non iacet in Chartis, ubi haec clausula *Ego et heredes mei warrantizabimus* non inseritur, opus est inde certitudinem exponere. In qualibet simplici charta de feoffamento per hoc verbum *dedi* quamvis plus de warrantia non specificatur, tenetur donator vel eius heres warrantizare si ad horam vocati fuerint, nisi in feoffamento, id est in carta, aliquod speciale huic contrarium apponatur. Sic contigit inter A. et B. coram R. de Thurkelby unde postea fuit duellum vadiatum et arrainatum.

B...Sciendum quod ad omnes cartas de simplici donatione debetur warrantizatio, et tenetur donator et eius heres warrantizare, si ad horam vocati fuerint ad warrantiam, nisi forte in feoffamento aliquid ponatur huic contrarium. Et licet haec clausula: Ego et heredes mei warrantizabimus, non apponatur, nihilominus tenebitur donator warrantizare, sicut contingit inter A. et B. de quadam terra unde duellum fuit arramatum et vadiatum.

A...Non autem dico ... (pp. 72, 73) ... assignatus ille warrantizare. Et quid si donator talis penitus donaverit et fuerit ita debilis quod non habeat unde warrantizet, cum vocatus fuerit ut saepe contingit. In hoc casu nihil scio consulere, nisi quod ille feoffatus adquirat sibi confirmationem a capitali domino si fieri posset. Et si capitalis dominus illud confirmaverit et vocatus fuerit inde ad warrantiam oportet quod warrantizet, licet non nominet donatorem. Tali dico rationem. Iste capitalis dominus de quo tenementum illud tenetur, cum se obligaverit ad hoc, per confirmationem suam, omnia verba in dicto feoffamento contenta tam le dedi quam le confirmavi una cum dicto donatore simul firmat coniungens et obligans fortiter seipsum ad pactionem tenendam dicto feoffato quasi pro defectu ipsius donatoris.

B...Aliquando autem contingit quod ubi donator debilis est, nihil habens unde warrantizet, feoffatus adquiret sibi confirmationem a capitali domino per cartam suam, in qua apponitur quod capitalis dominus et heredes sui warrantizabunt etc. In hoc casu oportebit capitalem dominum warrantizare si vocatus fuerit ad warrantiam, licet non nominetur donator hac tamen ratione, quia ad hoc stulte se obligavit.

34 Four Thirteenth Century Law Tracts

On comparison these passages show three things:[1] 1. That some parts of Judicium Essoniorum agree word for word with similar passages in Hengham. 2. That in other places the shorter tract gives the gist of a passage in the Summa, keeping to the order of the latter, and often showing a real similarity of expression. 3. That some parts of the Hengham Magna have been reproduced in Judicium Essoniorum with the order changed, with many omissions, and yet expressed in a way which leaves no doubt that a relationship exists between the two. The first and second of these points might be explained on the basis of the supposition

[1] This comparison helps also to establish the fact which has been noted on p. 28 above, that our second tract is later than the Magna Summa. The relationship existing between the two is of a different character from that which we saw existed between Fet Asaver and Hengham. When the Summa says, " Sic contigit inter A. et B. coram R. de Thurkilby unde postea fuit duellum vadiatum et arrainatum " and Judicium Essoniorum reads for the same passage, " sicut contingit inter A. et B. de quadam terra unde duellum fuit arramatum et vadiatum ", we know that the insertion of the name of the judge marks the older text. The original writer had that special case in mind when he composed his work; while the statement in the other text is so indefinite that it would be impossible for another writer to connect the case with any one judge, even if he desired to do so. The one thing which compilers did not do was to take the trouble to look up cases to fit their copied statements of legal principles; on the other hand, they usually left out of their compilations such cases as their exemplars gave.

that one author was copying from another; the third can hardly be explained in this way. It shows just the kind of agreement which would exist if an author who had already written one treatise should—with that treatise before him, or in mind—attempt to make use of the same ideas in another work written later. We can add to the evidence of these comparisons that furnished by the use of the expression "non recolo" in Judicium Essoniorum, as where in the first chapter the writer says, "Plura super huiusmodi possunt accidere de quibus ad praesens non recolo."[1] These words in a legal treatise are most unusual,—as rare as the admission. Now this very phrase is found on page 87 of Hengham's Parva Summa, "nec recolo in aliis casibus in quibus homo habetur pro felone." While in itself alone this means only that Hengham and the writer of our second tract used in common an expression which, so far as we know, was used by no other author of a tract or treatise, when added to the other evidence it helps to support the information given by Tanner, and increases the weight of probability that

[1] These same words will be found again in chapters five, six, and eight. A similar expression is found in the eighth chapter, ' Haec autem omnia et forte quaedam alia quae ex improviso memoriae non occurrunt.'

36 Four Thirteenth Century Law Tracts

Hengham was the author of Judicium Essoniorum.[1]

This tract, like Fet Asaver, shows how intricate the whole system of Essoins and Defaults had become; how, in an attempt to construct a set of rules which would be capable of providing for every contingency of appearance or non-appearance, the law had made the forms of Procedure so complicated and involved that the very tediousness of the process might defeat the end for which it had been made.

From reading these tracts we get a new realization of the fact that not only could medieval law not be hurried but that it might, under certain circumstances, be al-

[1] In this connection we might mention the frequent use of the word ' responsalis ' in both Hengham and this tract. The word is used by Glanvill and by Bracton, not by Britton, and very seldom by the other writers of Edward's day. They used the word ' attornatus '. Glanvill (lib. 11) says that every one who has a civil plea in the court of the king may appoint a ' responsalis'. Bracton says, ' Est igitur differentia magna inter responsalem et attornatum', but in both Hengham and our tract the word is used in the sense of attorney. Hengham, as we have noticed, made use of Glanvill and of Bracton; he may have carried over the word from them and applied it to the attornatus of his own time. See Pollock and Maitland, Hist. Eng. Law, I. 212–217. In Judicium Essonium we meet with ' ad quod sic respondeo ' time and time again. While this is a most natural phrase it is not a common one, and therefore the fact that Hengham (pp. 43, 75) uses it is of some importance in the question of his connection with our second tract.

most indefinitely delayed. Those statutes of Edward I. which in so radical and thorough a way simplified the matter of Essoins were not only timely but even necessary.

In the subject matter of Judicium Essoniorum we find nothing which is new or unique, nothing which in a longer or shorter form is not found in other writings of a similar nature.[1] It attained influence and popularity not because it contained anything peculiar to itself alone, but because of its treatment in a brief and concise way of the more usual and common points of the working law of the day, in such a way that they could be more easily understood and comprehended. Utility, and not any depth of scholarly perfection, gave it the position which it occupied.[2]

[1] Most of the text statements are of such a broad and general character that there would be no point in making cross references to other legal writings. We would, however, suggest a comparison of the first chapter with Bracton, fol. 346–346b; and of the second chapter with 'De Corona', Bracton fol. 115b–159b, and with that collection of forms of oaths which is found in 'De Placitis et Curiis Tenendis' (Selden Society, IV. 76–78).

[2] There can be little doubt that one of the uses of these tract was as a sort of text book for those who were beginning the study of law. Their form and contents partake in many ways of the nature of text books. Moreover they come from a time when just such a book would be needed — from that time when, a class of professional pleaders already existing, the law began to offer to men who were not ecclesiastics the opportunity of a life's profession.

38 Four Thirteenth Century Law Tracts

The number of manuscripts of this tract is nearly as large as that of Fet Asaver. The variants are comparatively few, and have to do rather with spelling and different forms of the same word than with any actual difference in text reading. Four manuscripts have been collated, of which the notation is as follows:

C. = Add. 3022. Cambridge University Library.
L. = 179. Lambeth Palace Library.
O. = 166.   "   "   " .
G. = Stowe 386. British Museum.

III, IV.

Cum Sit Necessarium, or Modus Componendi Brevia, was written in the reign of Edward I., sometime after 1285.[1] It has

[1] Mention is made in the text of the second Statute of Westminster. This determines the limit of the earliest date at which the tract could have been written. The references to Edward I. show plainly that it was written during his reign. It is found in manuscripts the writing of which is too early for the time of Edward III. If it had been written while Edward II. was king, Edward I. would have been referred to not as ' dominus Rex Edwardus filius regis Henrici ', but as ' Rex Edwardus pater domini Regis Edwardi ', or as ' Rex Edwardus pater Regis qui nunc est '. In all probability the Modus was compiled shortly after 1285. Not only is the second Statute of Westminster the latest one referred to by the writer, but in his discussion of it he everywhere treats it as something new and recent, the final authority beyond which it is not possible to go. ' Formerly — he says — this and that was the rule; *now* (citing the Statute of 1285) the rule in such a case is this.'

been assigned to two different authors. Tanner ascribes it to Hengham.[1] We have seen no manuscript in which the name of the author was given by the original scribe, though some of the earlier catalogues of manuscripts attribute it to John de Metingham.[2] We find no such resemblance existing between it and the writings of which Hengham is the reputed author as we noticed in the case of Fet Asaver and Judicium Essoniorum. The points of similarity are few. At the beginning of the Modus the author says, 'Ut sciatur quod breve et in quo casu tam in actione reali quam personali ubi minores maioribus indigeant documentum, dare debeam non modo quo debui sed quod scivi componere dignum duxi.' This suggests that passage, already noted, in the introduction of the Magna Summa, which reads, 'Ego non ad instruendum aliquem . . ., introductura, non serie qua debui sed qua scivi, proposui compilare.'[3] In its citation of the statutes this tract is like the Parva

[1] See above, p. 28, note 2. In Dd. VII. 14. the running title in a later hand is, 'Parva Hengham.'

[2] A contemporary of Hengham and another famous judge of the time of Edward I., as the Year Books show. A case tried before Metingham has become inserted, out of place and time, in the printed text of Bracton (fol. 26.). See Dict. Nat'l. Biog.

[3] See above, Introduction, p. 18, note 1.

Summa;[1] but it is difficult to draw any direct evidence from this point. For one who was writing a legal tract at the end of the thirteenth century, references to the statutes would be a very easy and natural method of stating certain points of law. Bracton could cite cases of an earlier period to advantage, Hengham in his Magna Summa could refer to earlier judgments; but the provisions of the Edwardian statutes had so materially affected many processes and rules of law, that a writer at the end of that reign would be under the necessity of referring to the more recent determinations of law which the legislation of Edward had brought about. The fact that the Modus, like the Parva Summa and Judicium Essoniorum, ends with the subject of Exceptions is of no definite assistance in associating it with these treatises. Bracton ends with a discussion of Exceptions, and so does Fleta. In all of these different writings there is a likeness of expression in the treatment of this subject,[2] but that similarity is no doubt due to the fact that each author was under

[1] The Parva Summa refers to the Statutes of Merton, Gloucester, Westminster I., and Westminster II. The Modus has references to the last three of these. Cf. note 2, p. 4.

[2] Compare the last part of the Modus with Bracton, fol. 399b; Heng. Mag., p. 55; Heng. Parva, cap. VIII; Jud. Esson., cap. VIII; Fleta, VI. cap. 36.

Introduction

the necessity of using certain set phrases which had already become technical. This holds true also in regard to the general treatment of other subjects, and of the subjects themselves. Although the development of statutory law in the reign of Edward I. put an end to that rapid growth of new Writs and forms of Action[1] which had marked the later years of Henry III.'s reign, English lawyers for a long time to come were to find one of their greatest interests in Process and that which pertained to it,—Writs, Essoins, and Defaults. To the writer of Modus Componendi Brevia the subject of Writs was of as much importance as it had been to Bracton and his associates. He was writing on an old theme, yet one which for him had a vital present interest. If he was obliged to reiterate some things which had already been written we should not be too willing to see in his restatements a proof of copying or borrowing from earlier writers.[2] On the

[1] An idea of the number of forms of Action may be obtained by consulting the index of Actions in Bracton's Note Book, I. 177–187, and the list given in Pollock and Maitland, Hist. of Eng. Law, II. 565–567.

[2] The first part of the Modus brings to mind the opening lines of Fet Asaver. "Videndum est primo si actio conquerentis sit realis vel personalis, aut si utramque tangat naturam tam actionem personalem quam realem. Et secundum hoc intellegendum est breve de placito terrae, vel transgressionis, vel quod utramque tangat naturam", is but a longer way of saying " Fet asaver al comencement

42 Four Thirteenth Century Law Tracts

other hand a lack of similarity between the Modus and Hengham's writings does not vitiate the value of Tanner's evidence. Of John de Metingham we have no writings with which we can compare the Modus. Whether he or Hengham or someone else wrote it must, in the light of our present knowledge, remain in doubt.

In the treatment of its subject matter Modus Componendi Brevia offers a good example of the way in which the writers of legal tracts compressed a large amount of information within the space of a few folios. It takes into account all the usual of the many varied legal relations with which Writs had to do, seisin and disseisin, donations, rights of women to land, the king's court and his judges, the rights of heirs, the lord's court and his treatment of his tenants, cus-

de chescun play ke est plede en la court le Rey, ou ceo est play de tere ou de trespas ou de ambedeus." Moreover the Modus makes mention of the "ou de ambedeus" which the French tract omits (see above, p. 22, n. 1). — " Verumtamen quaedam eorum brevium quae placitantur per districtiones, ut de consuetudinibus et servitiis, de medio, et huiusmodi, tangunt utramque naturam." Like Fet Asaver and the Magna Summa the Modus discusses first the Writ of Right, "quod est omnium aliorum in sua natura supremum." We can draw no conclusions in regard to the relationship of the three treatises from this fact. This writ naturally takes a first position, the position which it has in the Registers of Writs. Cf. Bracton's statement (fol. 328), " Placitum vero de recto ultimum sibi locum vendicat in ordine placitorum," etc.

toms and services, the land rights of religious bodies, common of pasture, and general exceptions. Detail and exhaustive treatment we can not expect within so narrow a space. Yet of the broader outlines of these subjects nothing of importance is left out. Nor is the tract a mere collection of facts thrown together at random; the arrangement of topics follows a define plan, and the writer avoids those digressions so common in the longer treatises. A brief outline of the scheme on which the Modus was written would be this:

Various Writs for various forms of Action.

The Writ of Right supreme, but in many cases a more speedy remedy can be obtained through another form of Writ.

A tenement in demesne may be sought by a demandant pleading:

    I. His own seisin; in this case a Writ of Novel Disseisin or various forms of the Writ of Entry.

    II. The seisin of his ancestor; to suit the conditions there will issue Writs of Mort d'Ancestor, Consanguinity, Entry, 'Nuper obiit,' or a Writ of Right 'de rationabili parte.' (The rights of abbots, priors, etc., holding the seisin of their predecessors.)

III. That the tenement has reverted to him through some form of gift. The question of the status of one making a gift; gifts made by ancestors, by women holding in dower, by religious men; gifts made for a term of years, or for life.
IV. That the tenement has reverted to him through escheat. If one to whom a tenement has been donated has been convicted of felony and outlawed, the donor, after a year and a day, gets a Writ of Escheat.

By an open Writ of Right the lord of a fee may seek a tenement held of him through homage and service.

The Writ of Utrum.

A woman may claim her dower by four Writs:
I. Breve de recto de dote.
II. Breve de dote 'unde nihil habet.'
III. Breve de certa dote per virum de proprio tenemento assignata.
IV. Breve de certa dote assignata ad hostium ecclesiae.

The little Writ of Right closed.
Writs which have to do with an advowson.
I. Writ of Right of Advowson, open or closed.

II. Quare impedit.
III. Writ of Last Presentation.

Courts and Judges.
  False judgment.
  The Writ Pone; its use and the causes which produce it.
  The injustice of lords; unjust distraint, etc.
  The Writ Prohibemus tibi ne iniuste vexes.
  Customs and services.
  A Writ of Possession.

Common of pasture.
  Various forms of the Writ Quod permittat.
  Writ of Right of Common of Pasture.

Exceptions.

This last subject, that of Exceptions, is treated in so brief a form that only the merest outline is given. Three times we are assured that this topic will later be discussed at greater length—a promise which is not kept, if the text as we find it in the manuscripts represents a completed work. This would seem to imply either that the Modus was unfinished, or that it originally contained more than the present text gives us. The real explanation, however, of this point seems to be that the tract known as

Exceptiones ad Cassandum Brevia, or Ordo Exceptionum,[1] is not, in all probability, a work separate and distinct in itself, but the second part of the Modus, from which it has become detached by the process of successive copyings, this detachment having been made all the more naturally and easily because of the two parts one was written in Latin and the other in Anglo-French. This conclusion is supported by the following facts.

The scope of the Modus is well defined and limited; the writer adheres very closely to his subject.[2] His object is to show what writs are suitable for various actions under set conditions and in specific circumstances. Within these limits he is concerned with the general rule and practice; but because he desires to make his statements in regard to the rule definite, he does not, in the main portion of the text, enter into a discussion of the question of Exceptions. Yet he realizes that he can not leave this subject en-

[1] Called also 'Exceptiones contra Brevia'. Under these various titles the tract is found in a comparatively large number of manuscripts.

[2] The real subject of the tract, *modus componendi brevia*, or *compositio brevium*, ends with a discussion of some of the provisions of the second Statute of Westminster — ' Multa etiam brevia originalia in istis statutis sunt provisa quae prius fieri non consueverunt; et in quibus casibus ipsa brevia dari debent in ipsis statutis sufficienter declaratur'.

tirely out of consideration; in its relation to what he has already written it is of too vital importance to be passed over or ignored So at the end of the tract he tells the reader that it is necessary to know not only the particular kind of writ to be used in a special case, but also the possible exceptions which may be urged against it when the actual pleading begins, because on account of exceptions or defects writs frequently abate. In a very general sort of way he briefly mentions some of the more usual exceptions, and then says, 'ad evitandum periculum huiusmodi exceptionum aliquid est subsequenter dicendum.' In regard to another class of exceptions, and likewise in regard to the order of writs, he promises to say something further on. The reader is led to expect a detailed account of the exceptions which would invalidate or annul those writs of which the writer has already treated; but no such account is given. The very last sentence of the Modus tells us why —'quia consuetudo regni Angliae talis est, quod placita coram iusticiariis per narratores[1] in romanis verbis, et non in latinis,

[1] 'The narrator or countor is the temporal equivalent for the canonical advocate.' The countor speaks on behalf of one who is present or represented in court, and differs from the attorney who appears in his principal's place. By the first Statute of Westminster (cap. 29.) imprisonment is provided for the deceitful countor. In

48 Four Thirteenth Century Law Tracts

pronunciantur; idcirco huius modi exceptiones lingua romana in scriptis rediguntur.' This makes the whole matter clear. Subsequently the author is going to write about Exceptions; but in discussing this subject he will make use of the Anglo-French language, because that is the tongue in which pleas are pleaded in court.[1]

Now if we study Exceptiones ad Cassandum Brevia with these facts in mind, we can not reasonably doubt that it is the supplement, the promised second part, of the Modus. The one thing which on the surface would do most to discredit this idea, the fact that the tract is written in French, and not, as the Modus, in Latin, is satisfactorily explained at the very start. In it

1280 the mayor and aldermen of London provided that no attorney could be a countor. These names of narrator and countor became technical terms: 'licet Rex cum omnibus prolocutoribus quos narratores vulgariter appellamus in contrarium niteretur' (Matt. Paris Chron. Maj. III. 619.); ' Sire, fet son countour, il durra au seignur un demy marc par unt que ceo seit enquys ententiuement par les meillurs genz de la vile ' (Court Baron, Selden Soc., IV. 33.). See Pollock and Maitland, Hist. Eng. Law, I. 211–217.

[1] French was the language of the king's court, and even of the local courts as soon as a body of professional pleaders had developed. In 1362 a statute, itself written in French, provided that whereas French was not generally understood, all pleas should be pleaded, answered, and judged, in English. Yet the Year Books continued to be written in French as late as 1535.

the many promises of a further treatment of Exceptions made by the Modus are fulfilled; it is devoted entirely to a discussion of just those subjects which come at the end of the Latin tract, exceptions and defects which weaken the writ or render it useless, and the order in which the exceptions should be pleaded. Though it takes into consideration some points and circumstances which have been omitted or only implied in the brief summary at the end of the Modus, it is, in its scope and purpose, the natural complement of the latter work. Almost every paragraph ends with 'si chiet le bref' or 'si est le bref abatable,' each paragraph as a whole being a statement of the conditions which produce this result, and giving us just that kind of information which is lacking in the Modus, though promised.

Taken together these two tracts make a unit as far as a treatment of the subject of the correct form and use of writs in regard to any special action is concerned.[1] Neither, from this standpoint, is complete without the other; the information contained in both is necessary for the drawing up of the writ in due form and without defects. As to whether or not they are the work of the same author individual judgment will decide for

[1] In many of the manuscripts the two tracts come together, the Modus usually preceding the Exceptiones.

itself; but in any case they are so closely related in their subject matter that they deserve to be studied together. We have therefore included a text of Exceptiones ad Cassandum Brevia in this collection of tracts.

The variants given in the footnotes of the text of these last two tracts will show that, as in the case of Judicium Essoniorum, the differences of reading in the various manuscripts are of minor importance. The following manuscripts have been collated.

For Modus Componendi Brevia:
    B. = Add. 32085. British Museum.
    C. = Add. 3022. Cambridge University Library.
    O. = 166. Lambeth Palace Library.

For Exceptiones ad Cassandum Brevia:
    A. = Harley 395.
    B. = Harley 667. } British Museum.
    C. = Harley 748.

Four Thirteenth Century
Law Tracts

FET ASAVER.

Fet asaver al comencement de chescun plai ke est plede en la court le Rey, ou ceo est plai de tere ou de trespas ou de ambedeus. E purceo est adire adeprimes de plai de tere ke ne poet estre plede fors[1] en quatre maneres; ou ceo est de fee e de demyne e de dreit, ou de fee e de dreit e nient de demeyne, ou de fee e de demeyne e nient de dreit, ou de demeyne e nient de fee ne de dreit. De ceus ke sunt de fee e de demeyne e de dreit est adire adeprimes, sicom del bref de dreit a demander tere, pre, boys, pasture, marreys, rent, turberye,[2] ou avoeson de eglise en demeyne, encountant de la seisine son auncestre ou de sa seisine demeyne, [3]en totes maneres e[4] en totes ses natures,[5] sicom del bref [6]de Entre e de[7] Eschete, e de ceus autres [8]solom lur natures.[9] E adeprimes de ceus ke sunt communs[10] a touz brefs, e puis de ceus ke sunt communs a un bref e nient a un autre.

A la primere journee[11] communement est

[1] Omit ne fors, ABE.
[2] In some of the manuscripts this list is not as complete as it is here given.
[3-4] Om., CT. [4-5] Om., ABE.
[6-7] demeyne, B. [8-9] Om., C.
[10] Omit from communs to communs, A.
[11] Ins., en touz ces brefs, various MSS.

54 Four Thirteenth Century Law Tracts

al defendaunt sey essonier de mal de venue; e[1] le demandaunt appara ou[2] son attorne pur lui, ou il sey poet essonier sil voet par bon essoneur,[3] kar bon essoneur poet ataunt fere a chescune journee com attorne, fors la ou le adversaire apert e voet[4] pleder; kar il ne poet mie pleder pur son seignur.[5] Mes si [6]lautre sey fet[7] essonier ou aperge, il poet prendre le jour pur son seignur[8] encontre son adversaire autre si bien com son seignur ou son attorne.[9] E si son adversaire seit[10] demandaunt e face defaute[11] il ly poet fere perdre son bref, e ly e ses plegges en la merci; e son seignur e ly irront quites saunz jour. E si son adversaire seit defendaunt e face defaute, le essoneur[12] poet fere entrer en roule la defaute sur ly e siure bref de jugement a fere prendre la tere en la meyn le Rey, par le grant Cape ou par le petit; ou[13] de aver seisine [14]si ceo seit plai[15] de tere, ou de attacher, ou de destreindre; solom

[1] Ins., donkes deyt, C.
[2] Omit to following ou, A.
[3] Ins., ameyns cele jorne, C. Sim. O.
[4] Ins., e deyt par dreyt, C.
[5] Omit to following seignur, Y.
[6-7] le adverseyr son segnur ceo face, C.
[8] Omit to following seignur, D.
[9] Ins., Et si son adversarie face defaute il puet sure la defaute ausibien com son seignur ou son attorne, B.
[10] est, varios MSS.
[11] Omit to following defaute, A.
[12] Ins., le demaundant, C.
[13] Ceo est un bref, E.   [14-15] Om., A.

Fet Asaver

diverses natures de les brefs, [1]e solom diverses journees, autre si bien com son seignur ou com son attorne.[2] E fet asaver ke kant [3]le essoneur[4] siust issint la defaute[5] son noun certein serra entre en roule la ou hom entre la defaute. E si ne serra pas le noun del attorne, si lem ne doute ke le attorne seit gilour e deceit la court.[6] E donkes serra jour done par le essoneur[7] iekes a un autre jour, [8]a quel jour le tenaunt purra[9] fere defaute.[10]

A la secunde journee poet le defendaunt fere defaute sil fust essonie al primer jour. E donkes serra la force del enroulement issint: [11]Cely sey profrist a teu jour vers cely de teu plai, e il ne vient pas; e out jour par son essoneur iekes ore.[12] E sil ne fust nient essonie au primer jour mes fist

[1-2] *Sic*, ABES. Om., CDLOVXY.

[3-4] son seignur, B.   [5] Ins., pur son seygnur, C.

[6] Ins., E commencera le enroulement en ceo cas issint: A. essoniator B. optulit se quarto die versus C. etc., C. Sim. O.

[7] seignur, B.

[8-9] e dunke purra le defendaunt sauvement, A.

[10] A. has in original hand but later crossed out, le saunetee qe il ad saunz tere perdre mes sey deyt aquiter par sa ley.

[11-12] A. optulit se quarto die versus C. de placito unius carucatae terrae cum pertinentiis in N. quam clamat ut ius suum versus eum, et ipse non venit. Et habuit diem per essoniatorem suum hic ad hunc diem. Iudicium ut supra in Summa Hengham, capitulo secundo die, etc., C. Sim. (leaving out reference to Hengham, but giving the judgment) SV.

defaute, [1]donc dirra il issint: [2]Cely sey profrist a teu jour vers cely de teu plai, e il ne vient pas;[3] e le viscounte testmoine la somonse. Jugement: Lavaunt dite tere seit prise en la meyn le Rey par veue de leaus hommes del counte; e le jour de la prise face le viscounte a saver as justices;[4] e le tenaunt seit somons[5] de venir a un autre jour de ceo de respondre,[6] e amustre[7] pur quey[8] il ne fust pas al jour devaunt justices sicom il fut somons; ou amustre pur quey il ne garda mic son jour done a lui par son essoneur a teu jour.[9] E sil y ad plusours deforceurs en le bref donkes dirra lenroulement issint: [10]Cely sey profrist a teu jour[11] vers cely de plai de taunt de tere, e vers cely de taunt de tere, etc.; e il ne vient nient. [12]Jugement, etc., ut proximo ante.[13] E donkes istra le grant Cape issint:

Rex vicccomiti salutem. Cape in manum

[1-9] Donkes dirra le enroulement del primer jour issint: A. optulit se quarto die versus B. etc., ut supra. Et ipse non venit. Et vicecomes mandavit quod summonitus fuit. Iudicium: praedicta terra, etc., ut supra, C. Sim. V.

[2-3] Om., AEX.

[4] Ins., par ses lettres enseeles, XE. Sim. B.

[5] A. omits the rest of this sentence.

[6] Omit the rest of this sentence, EX.

[7] Omit to following amustre, Y.

[8] Omit to following quey, BD.

[10-11] Om., AEX.

[10-13] A. optulit se quarto die versus B. de placito, etc., et versus C. de tanto; et omnia ut supra, CV.

[12-13] Om., AX.

nostram per visum legalium hominum de comitatu tuo unam carucatam terrae cum pertinentiis in N. quam B. in curia nostra coram iusticiariis nostris apud Westmonasterium clamat ut ius suum versus A. pro defectu ipsius A. [1]Et si plures sint tenentes tunc dicatur sic: [2] Cape in manum nostram, etc., unam virgatam terrae, etc., quam D. in curia nostra clamat ut ius suum versus E. pro defectu ipsius E. Et sic de singulis. [3]Et diem captionis scire facias iusticiariis nostris apud Westmonasterium per litteras tuas sigillatas;[4] et summoneas per bonos summonitores praedictum A., vel praedictos A. et E., quod sit coram iusticiariis nostris apud Westmonasterium tali die inde responsurus et ostensurus quare non fuit coram iusticiariis nostris, etc., tali die sicut summonitus fuit; vel[5] quare non servavit diem sibi datum per essoniatores suos coram praefatis iusticiariis nostris tali die. Et habeas ibi summonitores et nomina eorum per quorum visum hoc feceris, et hoc breve.

[1-2] Om., BDLOY. Et si il eyt plusours deforceours en le bref qe sount defaute, dunke deyt hum ataunt de feyze rehercer ceste clause cum il ad deforceours en le bref issint, A. Sim. EX. E. si il ad plusours deforefetours en le bref ke sont defaute, donkes issint, C.

[3-4] Om., D.

[5] E si il furent essoygnee a lautre jour, dunke issint: Et summoneas, etc., praedictos E. et B. quod sint, etc., tali die inde responsuri et ostensuri, A.

58 Four Thirteenth Century Law Tracts

E fet asaver ke un mot saunz plus est divers [1]en le bref de dreit [2]de tere;[3] e en le bref de dreit de dowere; [4]e en le bref de dreit ke abbe, prior, ou persone porte sur acun.[5] Kar en le bref de dreit [6]de tere[7] si deit hom dire [8]ke il cleyme com son dreit[9] vers cely; e en le bref de dreit de dowere [10]si deit hom dire ke il cleyme com son dreit en noun de dowere;[11] e[12] en le bref de dreit ke abbe, prior, ou persone porte si deit hom dire[13] ke il cleyme com le dreit de sa eglise de tiel lyu.[14]

E fet asaver ke la somonse en la fin del bref [15] signefie deus choses; a respondre del chef plai [16]par ceo mot *responsurus*,[17] e de la defaute ke il fist [18]par ceo mot *ostensurus*.[19]

E fet asaver ke par ceo bref poet tere[20] estre perdue par defaute[21] en deus maneres;

[1] Omit to following en, D.
[2-3] le home lay porte sur akun, C.
[4-5] Om., A.
[6] Omit to second dreit following, E.
[6-7] ke home lay porte sur akun, C.
[8] C. has this clause in Latin.
[9] Omit to second dreit following, X.
[10-11] issint: quam clamat in dotem versus talem, C.
[12-13] E en lautre bref issint, E. The MSS. give various readings which do not at all effect the sense of the passage.
[13-14] issint: quam clamat ut ius ecclesiae suae de N. versus talem, C.
[15] grant Cape, C.
[16-17] Om., E. e purceo met hum respounse, A.
[18-19] a tel jour, e par ceo met hum ostensurus, etc., A. Sim. E.
[20] Ins., ou tenement, X.
[21] Om., par defaute, AELX.

cest asaver si ele seit prise en la meyn le Rey e nient replevie dedenz les quinz jours, e donc est ele perdue par defaute ke est appelle nonplevine; ou sil face defaute al autre jour apres le grant Cape, donc est ele perdue [1]par defaute apres defaute,[2] mes ke ele fust replevie a houre e a terme.[3] E fet asaver [4]ke ou la[5] justice seit trove si poet hom replevir sa tere prise en la meyn le Rey; e il maundera a ses compaynouns la plevine e le jour de la plevine a son jour de plai par ses lettres seelees.[6] E si son jour [7]seit devaunt justices en Eyre donc nest il pas mester de entrer en roule la plevine; mes si son jour ne seit mie en Eyre, mes devaunt justices en Baunc, [8]donc covient il ke la plevine seit entre en roule,[9] [10]e en le chauncelerie le Rey; si poet hom replevir sa tere [11]prise en la meyn le Rey.[12] E donc[13] avera il un bref le Rey[14] del jour de la plevine.[15]

[1-2] meintenant, E.

[3] Ins., ou si le tenaunt face defaute apres ke il eyt une feez apparu en curt, C.

[4-5] ke la ou la, AY. ke ou la, O. ou que la, E. ke ou ke, D.

[6] E la ou il plede si il puisse venir dedenz les XV jours, e justices yseyent, dunkes la pout il replevir, BE.

[7-9] de play ne seit mie adonques en eire si covient que il face entrer en roule sa plevine. E si son jur soit adonc nad mie mestre ke ele soit entre en roule, E.

[8-9] si est il bon qe la plevine seyt entree, A. Sim. X.
[10] Om., AE.   [11-12] Om. EX.   [11-13] si, A.
[12] Ins., a hore e terme, CEX.
[14] Ins., al justice de la plevyne e, ACEX.
[15] prise, AE.

60 *Four Thirteenth Century Law Tracts*

¹E kant une tere est replevie² devaunt un justice hors du Baunc, donc maundera il sa lettre³ a ses compaynouns en tel manere:

Sociis et amicis suis carissimis dominis G. de P.,⁴ H. de K.,⁵ iusticiariis domini Regis de Banco, talis salutem. Sciatis quod C. tali die coram nobis apud N. petiit unam carucatam terrae cum pertinentiis in H. sibi replegiare quae capta fuit in manum domini Regis pro defalta quam fecit coram nobis versus D., ut dicitur. Et hoc vobis significamus.⁶

E fet asaver ke en ⁷totes teus maneres de plai⁸ poet hom fere un attorne ⁹ou deus¹⁰ pur luy¹¹ en son plai; mes donc ly covient memes estre present, e son attorne ensement. E sil seit entre attorne ¹²devaunt un justice¹³ hors de la court, donc avera il¹⁴ un tiel bref:

Sociis et amicis suis carissimis C. et D¹⁵.,

---

¹⁻² Om., C. For this sentence through Baunc read, Et quant un autre justice qe cely qe la fist prendre en la meyn le Rey a replevir une tere en cele manere, AX. Sim. E.

³ roule, L. Omit sa lettre, ACE.

⁴ *Sic* ABELOXYSV and MSS. generally. Gilbert de Preston? Rawlinson C. 331 has T. de Weyland. See note 3 page 12 of introduction.

⁵ e ses compaynuns, MSS. with writs in French.

⁶ Ins., Et fet asaver qe ala Tour de Loundres pust hum replevir sa tere, et dunke avera il memes cel bref cum avaunt de Conestable al justice du Baunk, A. Sim. B.

⁷⁻⁸ chekun play de tere ou de tenements, A.

⁹⁻¹⁰ Om., A.   ⁹⁻¹¹ Om., B.   ¹²⁻¹³ Om, ABEX..

¹⁴ ceoly pur ky les atornes sunt entres, C.

¹⁵ Sire G. to P. e ses compaignons, E.

Fet Asaver 61

iusticiariis domini Regis de Banco, talis salutem. Sciatis quod W. de N. attornavit coram nobis loco suo A. et B., ad lucrandum vel perdendum in loquela quae est coram nobis inter eundem W. petentem et P. tenentem, de tanta terra cum pertinentiis in N. Et hoc vobis significamus.

E fet asaver ke il ne covient pas ke chescun homme[1] ou son attorne [2]pur lui[3] replevise sa tere prise en la meyn le Rey, kar un estraunge homme le porra bien fere pur lui.

[4]Ore est asaver coment ieo puisse sauver ma defaute si ieo fu desceu par le visconte ou par les baillifs, ki paradventure a tort unt testmoygne e endosse le bref [5]ke est[6] retourne,[7] ke ieo fu somons[8] [9]sicom le bref voet en sey; dont ma tere est prise[10] en la meyn le Rey par le grant Cape dont nous avons avaunt parle [11]ke est issue. E coment sil ad puis[12] testmoyne[13] ke ma tere est prise en la meyn le Rey, e ele ne fut nient prise?[14]

[1] en sa propre persone, E.

[2-3] Om., E. en sa propre persone, A.

[4-6] E fet asaver ke si le viscounte eyt a tort testimoyne la summonse dul bref original, e eyt, C. Sim. V.

[5-7] Om., AE.

[8] Ins., e jeo ne fuy nent summons, C. Sim. AE.

[9-10] et ma terre prise, A.

[9-12] dont mon adversarie fet entre la defaute suz moy dunt le grant Cape ist dunt nous avons avant parle. E puis, C. Sim. V.

[11-13] et puys quant ala demaunde, A.

[14] Ins., E testimoygne ensement la drenere somunse ke est en le grant Cape, e ieo ne fuy pas somuns, CV.

E il ad remaunde le jour de la prise issint ke ma tere nest pas replevie, [1]purceo ke ieo ne savey rien de ceo[2]; e mon adversaire se prent [3]a la defaute de nonplevine[4]; parunt il covient ke ieo perd [5]seisine de[6] ma tere, [7]e ieo ne savey rien de ceo[8]? E coment si le visconte testmoyne e endosse le bref ke est retourne la dreyne somonse, ke est le grant Cape, e ieo ne fu pas somons; parunt ieo ne vink pas a jour, e lautre recovere seisine de ma tere par ma defaute[9]? [10]A ceo respoygne ieo ke ieo ne purrey nule defaute fere kar ieo ne fu pas somons. [11]E de ceo purrey ieo defere la primere defaute[12] e dedire la primere somonse[13] par ma ley.[14] Kar si ieo voil dedire la prise, si coveint il atteindre[15] la dreyne somonse ke est en le

[1-2] Om., E.
[3-4] tut ala defaute et ala noun plevyne, A.
[5-6] Om., ACEVX.
[7-9] coment purray jeo cele defaute sauver?, V. Sim. C.
[8] Ins., ke ele est perdu, XE. Sim. A.
[10-14] Fet asaver ke la premere defaute apres la somonse dul bref original puray ieo defere par ley en cete manere: Sire, defaute ne poy ieo fere kar ieo (ne) fu pas somons, e ceo suy prest a fere ceo ke cete curt agardera ke fere devereye, mes la prise pur saver la noun plevine ne porray ieo pas defere par ma ley, C. Sim. SV.
[11-12] mes solum ley ieo purray defere, A.
[13] Omit to following somonse, A.
[14] Ins., mes nent la prise pur sauver la non plevine, BDEOX.
[15] Ins., la fausine par les pernurs de la terre prise en la meyn le Rey, e par les veours de la prise, mes, X. Sim. CEV.

Fet Asaver

Cape, [1]parunt mon adversaire recovera[2] seisine de ma tere[3]; [4]si ne puisse ieo nient dedire par ma ley purceo ke la somonse fust testmoyne a teu jour ke mon adversaire recovera seisine de ma tere, e donc ne fu ieo nient la. E tot y usse ieo este [5]il ne me avereit ia mester kant a ceo dedire adonc la soonse[6], [7]kar donc ieo ne poey respondre.[8] E de autre part ieo ne purrai agager nule ley [9]de la nonsomonse[10] fors encontre les somonours ki adonc ne sunt pas la, mes[11] lautre recovera seisine de ma tere. E puis ne avera ieo nule partie encontre moi, [12]ne nul jour de plai parunt[13] ieo ne purrai[14] rien dedire a nuly ne agager nule ley; mes[15] ieo[16] purrai doner del mien au Rey pur fere venir ceus somonours[17]; e donc serra la fausine atteinte.[18] E acun gent dient ke tot alassent ceus somoneurs adonc encontre moi; ieo purrai ialemeyns dedire la somonse encontre eus par ma ley. [19]E fet asaver ke coment ke ieo perdi ma tere[20]

[1-3] Om., CSV. [2] ne recovery, A. [4] Om., ACESX.
[5-6] il my avereyt mester a dedire la somounse, A.
[7-8] Om., ACV. [9-10] Om., C. [10] somounse, A.
[11] Ins., tut ussent il esste, il ne avereyt mester mes, A.
[12-13] mes, E.
[14] Omit to following purrai, E.
[15] E fet asaver ke en tel cas, CV.
[16-17] un chose il ad. Jeo durray al Rey del myen a fere saunz somouns et dount serra ateynt la fausine, e en tele manere de grace recoveray ma seysine, A.
[17] premers somonurs e les veours de la prise, C.
[18] Ins., e ieo recoveray seysine, CEX.
[19-20] Et de autre part tut perdisse, A.

64 *Four Thirteenth Century Law Tracts*

par defaute de [1]nonplevine ou par defaute apres defaute,[2] uncore purrai ieo recoverir par un bref de dreit; e en nule autre manere.

Al terce jour de plai kant la tere est prise en la meyn le Rey e replevie, ou si le tenaunt vient avaunt ke ele seit prise il deit appara, e lem countera vers ly[3]; e il demaundera donc veue de tere, e serra donc entre en roule la demaunde de combien il demaunde la veue.[4] E le demandaunt siuera un tiel bref de jugement a fere ly aver la veue. [5]E un autre jour de plai lui serra donc done apres.[6]

Rex vicecomiti salutem. Praecipimus tibi quod sine dilatione facias A. habere visum [7]de una carucata terrae cum pertinentiis in N. quam B. in curia nostra coram iusticiariis nostris apud Westmonasterium clamat ut ius suum versus ipsum A.[8] Facias etiam D.

[1-2] apres defaute ou par defaute apres apparaunce ou par defaute de non plevine, C. Sim. V. which adds, Si je y usse dreyt en ma tenance, si.

[3] Ins., en fourme de dreyt, A.

[4] Omit to following veue, A. Ins., issint: A. petit versus B. tantam terram cum pertinentiis in N. ut ius suum, etc. Et B. venit et petit inde visum, etc., habeat; dies datus est eis in Octabis, etc. VC.

[5-6] Om., EV.

[7] For rest of sentence read, etc., ut supra in summa de Hengham capitulo tertio die post, C.

[8] Ins., E si iliad plusours deforceours sur les queus le bref veent le demandant la veue donkes issint: Praecipimus tibi quod sine dilatione habere facias B. visum, etc., quam A. in curia nostra, etc., C. Et si il eyent plusours deforceours dount istra le bref issynt, A. Sim. X.

habere visum de una virgata terrae cum pertinentiis in eadem villa quam praefatus B. in curia nostra coram iusticiariis nostris, etc., clamat ut ius suum versus eum. Et dic quatuor militibus qui visui illi interfuerint quod sint coram iusticiariis nostris apud Westmonasterium tali die ad testificandum visum illum. Et habeas nomina militum et hoc breve. Teste, etc.

Ore est asaver ke par mulz de exceptions[1] poet hom abatre un bref devaunt veue de tere demaunde ke poer ne ount apres. E acuns ount le poer meuz apres ke devaunt. Les exceptions ke sunt encontre la nature del bref e del escripture, sicom un noun pur un autre, ou un surnoun pur un autre, ou ke le bref nigist mie en ceo cas, abatent le bref avaunt veue [2]e nient apres.[3] Mes exception de nontenure[4] [5]kant homme ne poet devaunt respondre,[6] [7]sicom kant[8] le tenaunt[9] ne tient pas tot pleinement la demaunde del demandaunt, ou kant le tenaunt ad parceners saunz les queus [10]il ne deit ne poet[11] respondre, [12]celes exceptions abatent ambedeus avaunt veue e apres.[13]

[1] Ins., et mouz des resouns, ACEX.
[2-3] Om., E. de tere demaunde, A.
[4] Ins., abat le brief apres vewe, X.   [5-6] Om., C.
[7-8] ou purceo ke, X.   purceo qe, AEO.
[9] Omit to following tenaunt, A.
[10-11] il ne put neent, AE. il ne deyt ne ne poet, C. il ne deit, V.
[12-13] e teus semblables abatent meuz apres qe devaunt, A.

66 *Four Thirteenth Century Law Tracts*

Ore fet asaver ke partot ou homme poet voucher a garaunt si poet homme aver la veue,[1] [2]e en acun cas plus souvent; kar en le Quod permittat si poet homme aver la veue e nient voucher a garaunt. [3]E en autres tels cas semblables, sicom[4] kant un homme voet voucher hors de la line; e la ou est son tort demeyne[5] la ne poet il nient voucher a garaunt.[6] E si est asaver ke il est graunt folie de voucher a garaunt devaunt ke homme eit eu la veue, par ceste resoun. [7]Un homme enpleda un autre par un bref de dreit de unc vergee de tere, le tenaunt tint[8] deus vergees en meme la ville; le demandaunt ne out dreit al une ne al autre.[9] Ore ne poet le tenaunt iammes estre cert quele des vergees lem lui demaunde avaunt[10] ke il out eu la veue. E vint avaunt le

[1] Omit to following veue, Y.

[2-6] fors en cas sicum en bref doueyr dont dame ren ne ad del tenement dont le baroun morut vestu e seysi la ne deyt pas le tenant aver la veeue, e sy poet voucher a garant. E en acun cas poet le tenant aver la veeue e nyent vocher a garant, sicom en le bref Quod permittat, e en le bref de entre ou home ne put voucher a garant hors de line fors soulement transverser le entre, C. O. inserts this passage at the end of this paragraph.

[3-4] et en autres cas plus souvent kar, A.

[5] Ins., ceo est adire qe, BDLOXY.

[7-8] Un humme fust enpledee de une carue de tere od les apurtenaunces par un bref de dreyt en M. e cel humme out, A. Sim. E.

[9] Ins., mes qui deyt aver dreyt al une qe il demaunde, A. Sim. EOX.

[10] ci la, A. eynz, X. avant ceo qe, EL.

Fet Asaver

tenaunt folement[1] avaunt[2] ke il out eu la veue, e voucher a garaunt un R., [3]ki vint par somonse[4] e demaunde par quey il le voucha a[5] garaunt. E il mist[6] avaunt une chartre [7]par quey il[8] fust tenu a la garauntie[9] del une vergee de tere.[10] E le demandaunt dist, 'Jeo ne demaund mie [11]cele vergee de tere,[12] ne unkes ne demaundai [13]cele vergee de tere,[14] mes lautre, [15]E le garaunt [16]partant partist quites,[17] purceo nul homme ne le enpleda de la tere dont il fut tenu a la garauntie. E le tenaunt kant vist ceo voleit memes respondre [18]al chef plai,[19] mes le demaundant demaunda jugement, sil pust resortir a ceo response [20]e respondre al chef play[21] apres garaunt vouche; e fust agarde ke non, [22]puis ke son garaunt ly faut.[23] E

[1] solum, A. soulement, Y. Ins., ceoly B. desicum il ne put estre cert laquele de deuz caruez A. luy demanda, C.

[2] et dit, A. B. omits the first part of this sentence through veue.

[3-4] de B. Cely R. fust tenu de garaunter la une caruee de tere et neent lautre; vynt R. et respoundy a la garauntye, A. Sim. X.

[5-6] le tenaunt geta, A. Sim. EX.

[7-8] dont C. par le fet son auncestre ky eyr il fu ly, C.

[7-9] Om., AEX.

[10] Ins., en N. de cele ke ne fu pas en demande, C. Sim. X.

[11-12] Om., AELX.   [12] Omit to following tere, C.
[13-14] Om., DOY.   [15] Omit this sentence, C.
[16-17] parte quites saunz iour, A.
[18-19] Om., AX. a la garantie, E.   [20-21] Om., AE.
[22-23] e ke C. alast quitez sanz iour de la garantie, e ke A. recoverast sa demande vers B., e B. en la merecy, C.

68 Four Thirteenth Century Law Tracts

par ceo perdist il son voucher [1]purceo ke il voucha[2] avaunt[3] veue de tere demaundee,[4] [5]parunt il deust[6] aver eu la veue e certein demaunde de son adversaire, e aver vouche a garaunt de certein.

Al quarte jour de plai poet le tenaunt se essonier apres veue de tere e aver jour sicom est avaunt dit,[7] par le essoigne de mal de venue. E le essoneur avera[8] sicom desus est dit. E fet asaver ke si le tenaunt face iammes defaute[9] apres ceo kil eit un fez apparu en la court le Rey, il perdra [10]seisine de[11] tere tut outre par le petit Cape. E ceo est un bref ou il niad nule recouverir par quey ke le bref seit leaument issu; cest adire si [12]le tenaunt[13] ne fut pas essoigne a teu jour ke le bref issist, [14]ceo est asaver le petit Cape[15]; ou en autre manere ke la court le Rey ne fut desceue. Ceo est asaver ke donc niad nul recoverir a sauver la defaute; mes sil eust dreit en sa tenaunce il le purra demaunder e pleder par un bref de dreit, [16]e en nule autre manere.[17] E fet asaver ke si le tenaunt face iammes defaute, fors une ke est la primere kant le graunt Cape issist, il

[1-2] Om., AE.
[3] apres, A.
[7] Omit to following dit, E.
[9] nule defaute, BETY.
[12-13] cely sur ky le petit Cape isse, A.
[14-15] Om., AETX.
[16-17] Om., AET.
[1-4] Om., C.
[5-6] kar il ne deveroyt, A.
[8] Ins., si mester seyt, A.
[10-11] sa, AET.

perd[1] seisine de tere; e sil face defaute[2] apres defaute il perd sa tere tut outre.[3] E sil face defaute apres apparaunce le petit Cape igist, ke ataunt vaut com seisine; kar lautre[4] ad perdue chescun manere de response si la court ne seit desceu. E il ne serra somons a nul autre chose en le bref fors a oyer son jugement, [5]com cely ki[6] ad sa tere perdu par sa defaute; purceo ke nul[7] fraunk homme ne deit jugement aver saunz sa presence, si ceo ne seit par sa defaute kil voille nient venir. E purceo serra il somons en [8]la fin del bref de[9] petit Cape a oyer son jugement, coment il ad sa tere perdue par sa defaute kil fist kant le petit Cape issist, en cest manere:

Rex vicecomiti salutem. Cape in manum nostram unum mesagium et unam virgatam terrae cum pertinentiis in N. quam A. in curia nostra coram iusticiariis nostris apud Westmonasterium clamat ut ius suum versus D. pro defectu ipsius D. Et summoneas per bonos summonitores praedictum D. quod sit coram iusticiariis nostris apud Westmonasterium tali die ad audiendum iudicium suum. Et habeas ibi summonitores et hoc breve. Teste, etc.

[1] Omit to following perd, A.
[2] Omit through second defaute following, BY.
[3] Ins., si il face defaute apres defaute il perde seysine de la tere, A.
[4] le tenant, C. [5-6] quoment il, A.
[5-7] car, ET. [8-9] le A.

E sil y ad plusours deforceours [1]en le bref sur les queus le bref vient, rehercez[2] le Cape oue tut la clause enterement [3]sur chescun deforceour[4] iekes a ceo mot 'Et summoneas'; [5]e dirrez issint: Cape,[6] etc. [7]E fet asaver ke ausi bien poet[8] le tenaunt estre[9] [10]a meson[11] a teu jour com venir, kar[12] lequel kil vienge ou non il perd sa tere. Cesty bref est appele le petit Cape, [13]ne mie pur la petitesse en dreit [14]del effect e de la force del bref,[15] mes purceo ke le bref est petit en sey com de lettre en dreit [16]del autre bref de jugement sus escrit, ke est appele le graunt Cape.[17] [18]E fet asaver ke si le tenaunt face defaute al jour ke done lui est en le petit cape,[19] donc avera le demaundant seisine [20]de la tere kil demaunde[21] par un tiel bref:

Rex vicecomiti salutem. Scias quod A. in curia nostra coram iusticiariis nostris apud

---

[1-2] qe fount defaute, dunke deyt hum taunt defeyze rehercer, A.

[1-6] donkes issint, C.

[3-4] autaunt de fiez cum il ad deforceors, ETX. Sim. OA.

[5-6] Om., AEOX.   [6] C. gives the writ in full.

[7-8] dunke pust, A.   E autresi bien puit, TE.

[9] Ins., a lostel ou, D.   [10-11] ausi been a lostel, A.

[12] pur quey ke le bref seyt leaument issu, C.

[13-17] pur ceo ke il ny ad mie tauz dez articles cum en le grant Cape desus escrit, C.

[14-15] du plee, A.   [15] Omit to following bref, D.

[16] [17] Om., AETX.

[18-19] Mes si le tenaunt apres le graunt Cape ou le petit face defaute, A. Sim. CEX.

[20-21] pur sa defaute, E.

Westmonasterium recuperavit seisinam[1] suam versus B. de una virgata terrae cum pertinentiis in N. pro defectu ipsius B. Quare tibi praecipimus quod praedicto A. de praedicta virgata terrae cum pertinentiis plenariam seisinam habere facias. Teste, etc. [2]E sil y ad plusours deforceours en le bref donc dirra il issint: [3]Scias quod A. in curia nostra, etc., recuperavit [4]seisinam suam versus B. de tanta terra cum pertinentiis, etc., et versus D. de tanta, etc.[5] E acune feze avient ke le tenaunt rend[6] par conge, e donc avera le demandaunt un tel bref: Rex vicecomiti salutem. Scias quod cum A. in curia nostra coram iusticiariis, etc., peteret versus B. tantum terrae cum pertinentiis in N. ut ius suum, idem B. venit in eadem curia nostra et reddidit ei illam terram. Quare tibi praecipimus, etc., ut supra.

E[7] si le tenaunt vient en la court le Rey apres veue de tere demaunde, ou apres essoigne iette apres veue, sil ad garaunt a

[1] For the rest of this writ C. reads, etc., ut supra de Hengham.

[2-5] Om., E.

[3-5] vers cely de taunt de tere et cely de taunt de tere en meme la vile, par la defaute de cely; et pur ceo nous vous comaundums etc., A. Sim. X.

[4-5] etc., per defaltam ipsius B., et versus C. de tanto per defaltam ipsius C.; et ideo, etc., C.

[5] Ins., et sic de pluribus, various MSS.

[6] Ins., suys la tere a ly, A.

[7] Ore est asaver qe, A.

voucher il le deit fere.[1] E bien sey garde ke il vouche sagement; kar si [2]cely ki est[3] vouche ad parceners saunz les queus [4]il ne deit[5] garauntir,[6] ou ke[7] il vouche cely ki rien nad dont garauntir,[8] il perd sa tere [9]tut outre,[10] purceo ke [11]son garaunt[12] ly defaut. E si il ad perdu response sitost com il ad vouche, purceo kil en son voucher wayva son baston[13] e sa defense[14] a un autre. E si[15] son garaunt ly defaut son baston est depesce[16]; mes nepurkant [17]acune feze avient ke[18] homme poet voucher a garaunt cely ki rien nad. E donkes covient il ke cely ly voille garauntir e voucher autre, [19]sil ad rien[20] par quey il est tenu a garauntir; e donc[21] poet le tenaunt bien voucher un tel, kar tot neit[22] il [23]rien dont garauntir il nad pas[24] purceo perdu[25] sa fraunche ley encontre son garaunt.

[1] voucher, C. [2-7] Om., C. [3] il ad, A. Om., G. il, X.
[4-5] il ne poet ne il ne deit respondre ne, E. il ne doyt nil ne pout, G. il ne deyt ne il ne pust respoundre a la, A.
[6] garauntye, A.
[8] Ins., et ne pust ne veot vowcher autre avaunt qe ad dount garauntyr, et en autres teus cas semblables, A. Sim X. Ins., ou acun qi ne poet ou veot garentir, D. Sim, BORY. [9-10] Om., ACEGX. [11-12] la garauntye, AEG.
[13] Omit to following baston, G.
[14] Ins., et il le baylla, A. [15] sun hume e quant, A.
[16] Ins., et sun defens enpeyre, ACEGOX.
[17-18] Om., C. [19-20] Om., D.
[19-25] avaunt qe il ad dount garaunter kar tut seyt il pouere et reen nad il perdra, A.
[21-22] est il bon kar tot seyt, C. Sim. EGX.
[23-24] povres et ren nad pas, G. Sim. CEX.

Ore est asaver ke autrement est en le bref de dower ke nest en autres brefs,[1] kar en le bref de dower deit le demandaunt recoverir sur le garaunt a la value de sa demaunde,[2] vers le tenaunt e le tenaunt tenir en pees. E en chescun autre bref deit le demandaunt recoverir la value de sa demaunde vers le tenaunt, e le tenaunt recoverir le value de son fee ke il ad perdu vers le garaunt. E si est asaver ke kant un homme deit voucher a garaunt, ou il vouche enfaunt dedenz age ou homme de plenere age. E sil vouche enfaunt dedenz age la parole serra respitee iekes al age del enfaunt. E puis kant lenfaunt vendra a son age si serra la parole resomons par un bref ke istra hors des roules, e les parties vendront e pursueront la parole ke devaunt fut respitee. Mes autrement est en plai de dowere, kar la covient il ke lenfaunt respoigne par ly ou par son gardeyn, sil est enplede ou sil est par autre vouche a garaunt. [3]Nul homme[4] poet voucher a garaunt enfaunt dedenz age saunz chartre[5];

---

[1] Ins., quant le demaundaunt rekever vers sun garaunt, A. Sim. EG. Then G. omits all through the following garaunt.

[2] Ins., e le tenant tenir en pes. En chescun autre bref deyt le demandant recoverer sa demand, EGO. ADX insert this after the first tenaunt following.

[3-4] si il, B.

[5] Ins., si noun en dower kar en dower si ad femme naturele chartre, A.

74 Four Thirteenth Century Law Tracts

e sil fet il perd son voucher tut outre. E cely ki voet[1] voucher enfaunt dedenz age a garaunt, il deit nomer touz ceus ki rien unt de sa tere en garde, ensemblement ove cely ki ad le cors, autrement perd il son voucher; [2]kar il serreit tort ke les uns garauntissent e les autres nient de ceo kil tienent.[3] E si deit hom voucher en ceste manere: Jeo vouche a garaunt par leyde[4] de cest court J. de B., fiz e heir C. de B., ki cors e partie des teres sunt en la garde cely, e partie en la garde cely.[5] E donc demaundera le clerc [6]pur quey; e il mustra sa chartre, e le clerc le enroulera, e demaundera[7] ou serront ses gardeyns somons; e il dirra, cely en tel counte e cely en tel counte, sicom il sunt. [8]E donc serront ses gardeyns somons par un tel bref[9]:

Rex vicecomiti salutem. Summoneas per bonos summonitores A. de B.,[10] custodem terrae et hereditatis D. de C., filii et heredis E., quod sit coram iusticiariis nostris apud

[1] deyt, A.
[2-3] Om., A.
[4] ley, C.
[5] Ins., ou ky cors est en la garde cely e totes ses teres en la garde cely, O. Sim. DRLXY. Ins., e partye de les teres en la meyn cely, A. At this place E. reads, e si plusurs soient vouchiez donc dirra le bref issint: Jeo vouche agarant celi de tant, W., e touz les autres en la garde celi.
[6-7] Om., B.
[8-9] Om., AE.
[10] R. de Gray, BOXY, and various other MSS.

Fet Asaver

Westmonasterium tali die; et quod tunc habeat ibi praedictum heredem ad warrantizandum F. unam virgatam terrae cum pertinentiis in C., quam D. quae fuit uxor B. in curia nostra coram iusticiariis nostris, etc., clamat in dotem versus eum. Et habeas ibi, etc. Teste, etc.[1] E sil ad plusours ki sunt vouchez donc dirra le bref issint: [2]ad warrantizandum tali tantum, et tali tantum. Et postea sicut prius.[3] E issint serra le bref a touz les autres.[4] E serra comaunde al tenaunt ki est voucher ke il siue ceo bref.[5] E paradventure il voet delayer la bosoigne e ne siust nient ceo bref. E purceo le demandaunt ou son attorne, sil seient sages, siueront[6] memes ceo bref pur hastier la bosoigne.

Al autre[7] jour si le tenaunt face defaute le petit Cape igist; mes lun e lautre se poet fere essonier; ou le garaunt purra donc [8]en peril[9] fere defaute[10] sil voet, ou donkes fere

[1] Ins., e si serra touz les brefs a tuz les viscontes solunc lur cas, C.

[2-3] a garantyr a cely taunt et puys avaunt la quele cely cleyme, etc., A. Sim. ES.

[4] Ins., mes quant vendra a cely qi ad le cors dount dirra issint, gardeyn de cors et des teres, A. Sim. ESX.

[5] Omit to following bref, E.

[6] purchacera, A.

[7] tierce, LDAB. (quinte, Hh. IV. I. Camb. Uni. Lib.).

[8-9] Om., AE.

[10] Ins., sauvement, ES. For the rest of this section A. reads, a quel iour il face cel defaute ystra un tel bref de jugement. Sim. E.

76 *Four Thirteenth Century Law Tracts*

se essonier e autrefeze fere defaute[1] en peril. E lequel ke il face defaute [2]al un jour ou al autre,[3] si istra un tel bref a prendre la tere[4] en la meyn le Rey [5]a la value de la tere demaunde, issint:[6]

Rex vicecomiti salutem. Cape in manum nostram per visum legalium hominum de comitatu tuo de terra A. de B. in balliva tua ad valentiam unius virgatae terrae cum pertinentiis in N., quam C. de D. in curia nostra coram iusticiariis nostris, etc., clamat ut ius suum versus E. de F.; et unde idem E. vocat ad warrantum praefatum A. versus illum. Et diem captionis scire facias iusticiariis nostris per litteras tuas sigillatas. Et summoneas, etc., ut in alio magno Cape superius in prima defalta tenentis.

Ore avient souvent [7]ke mulz des viscountes[8] par favor del une partie [9]delayent le bref; ke acune feze endossent[10] en le bref ke le demandaunt nad pas trove plegges pur siure, [11]e purceo nest rien fet; e donkes deit le demandaunt,[12] sil seit sages, trover pleg-

[1] Omit to following defaute, B. [2-3] Om., SCX.
[4] Ins., le garant, C. Ins., le heir qi est en la garde cely gardein, S.
[5-6] Om., X. al eir ke est en la garde celi gardein par le grant Cape ad valentiam, E.
[7-8] mauveyse viscounte, A. Sim. E.
[8-9] delaye lautre kar autre feyze est il endosee, A.
[10] returnunt, C.
[11-12] sun bref, et purceo na pas le comaundement parfourny, et dunke deyt le demaundaunt ou sun aturnee, A.

Fet Asaver 77

ges[1] dreit[2] as justices. E sil ad favor serront donkes[3] mandez[4] e lur[5] nouns enroule, e si avera il [6]donc un autre jour e[7] un tiel bref de jugement:

Rex vicecomiti salutem. Quia A. fecit iusticiarios nostros securos de clameo suo prosequendo per J. de tali comitatu, et H. de eodem vel de alio comitatu, tibi praecipimus sicut alias tibi praecepimus quod summoneas per bonos summonitores B., quod sit coram iusticiariis nostris apud Westmonasterium tali die ad respondendum praedicto A. de placito quod reddat ei unam virgatam terrae cum pertinentiis in N., quam idem A. in eadem curia nostra coram praefatis iusticiariis clamavit ut ius suum versus eum. Et unde tu ipse mandasti iusticiariis nostris etc., quod praedictus A. non invenit plegios de prosequendo. Et tu ipse tunc sis ibi ad audiendum iudicium tuum de hoc quod praedictum B. non summonuisti quod esset coram iusticiariis nostris, etc., tali die sicut tibi praeceptum fuit. Et habeas, etc.

Acun feze avient ke le viscounte ne retourne nul bref de jugement. Donc covient il quere lenroulement[8] dont le bref issist, e enrouler autrefez la defaute. E donc comencera lenroulement issint[9]: Praeceptum fuit

[1] Ins., de sure, D. [2] Om., CEXY. [3-5] les, AL.
[4] demaundez, X. [6-7] Om., A
[8] Omit to following lenroulement, AD.
[9] Omit to following issint, EY.

vicecomiti, etc. E istra hors des roules un autel bref com devaunt, mes il comencera issint: Rex vicecomiti salutem. Praecipimus tibi sicut alias tibi praecepimus quod summoneas, vel quod capias in manum nostram, vel quod ponas per vadium et salvos plegios, vel quod distringas, vel quod venire facias, vel seisinam habere facias. E puis tut hors sicom en les brefs de jugement iekes a[1] la fin, e donc issint[2]: Et tu ipse tunc sis ibi ad audiendum iudicium tuum de hoc quod[3] praedictum talem non summonuisti, vel non attachiasti, etc., nec breve nostrum quod inde tibi venit praefatis iusticiariis nostris tali die non retornasti sicut tibi praeceptum fuit. Et habeas, etc.

E acune feze maunde le viscounte ke ceo est en la fraunchise [4]cely; e fut comaunde[5] as baillifs de cele fraunchise kil enfeisent [6]le comaundement, e eus ne unt[7] rien fet. E donc istra un tiel bref de jugement au viscounte[8]: Rex vicecomiti salutem. Praecipimus tibi quod non omittas propter liber-

[1-2] al dreyn, e dire en le bref avaunt un mot plus, A. Sim. EX.

[3] For rest of writ read, praeceptum nostrum prius inde tibi directum non es executus sicut tibi praeceptum fuit. Et habeas, etc. Teste, etc. C.

[4] celuy ou cely, XE.

[4-5] cely et cely et qe il aveyt comaundee, A.

[5] demaunde, O.   [6-7] et il nad, AET.

[8] Ins., qe il ne lesse mye pur la franchise qe il ne face ceo qe ly comaundee est, A. Sim. ETX.

Fet Asaver 79

tatem civitatis de N. quin summoneas vel distringas, etc.[1] E puis tut hors le bref com avaunt.[2]

E[3] acune feze maunde le viscounte en le bref de trespas[4] ke il nad tere ne tenement en sa baillie dont il puisse estre destreint, attache, ou somons. E donc deit le pleintif testmoigner [5]au Baunc[6] ke [7]il ad[8] tere e chateus,[9] [10]e ou. E donc lenroulement e le bref en meme la manere com avaunt, mes issint deit comencer[11]: Praecipimus tibi sicut alias praecepimus quod, etc. E puis a la fin del bref issint: [12]Et unde tu ipse mandasti iusticiariis nostris, etc., quod praefatus talis non habuit terras nec[13] catalla in balliva tua

[1-2] Secundum tenorem prioris brevis. E puis a la fin issint: et unde mandasti iusticiariis nostris apud Westmonasterium tali die quod praeceperas ballivis praedictae libertatis quod praeceptum nostrum prius inde tibi directum exequerentur qui nihil inde fecerunt. Et habeas, etc. C. Sim. AET.

[3] Ins., Akune foiz maunde le visconte qe le bref vynt trop tard, e pur ceo rien est parfourni del comaundement, e dounk avera le demaundaunt un tiel bref, e serra la parole entree en roule e le bref serra autiel cum devaunt for qe il comencera cum desuys est dit. Le Roi, etc. Nous vous comaundoms sicom avaunt comaundamus. E tut le autre bref hors, e a dreyn, e vous meismes iseez a oyer vostre jugement, etc. T. Sim. AE.

[4] Ins., fausement, C.

[5-6] devant justices, CO. Om., TE.

[7-8] si ad et ou il ad, AET. [9] tenement, C.

[10-11] et dount avera il un tel bref cum avaunt mes ceo comensera issint, A.

[11] Ins., Praeceptum fuit vicecomiti. E le bref issint, C.
[12-13] et, D.

80 Four Thirteenth Century Law Tracts

per quae possit distringi seu attachiari. Et testatum est in eadem curia nostra quod satis habet apud N. [1]per quod, etc.[2] E sil nad rien en cele counte mes en autre, donc avera le pleintif[3] un tiel bref de jugement a cel viscounte[4] com il aveit[5] al autre.

E acune feze maunde le viscounte ke cely est clerc, e nad [6]nule lay fee[7] en sa baillie[8] dont il poet estre destreint.[9] E donc siuera[10] le pleignant[11] un tiel bref de jugement al Eveske[12]: Rex venerabili in Christo patri R. eadem gratia N.[13] episcopo salutem. Mandamus vobis quod venire facias coram nobis[14] tali die[15] ubicumque tunc fuerimus in Anglia A., ad respondendum B. de placito quare[16] ipsum B.[17] verberavit, vulneravit, et male tractavit,[18] contra pacem nostram ut dicit.

[1-2] et tu ipse tunc sis ibi ad audiendum iudicium tuum de hoc quod praeceptum nostrum prius inde directum non es executus sicut tibi praeceptum fuit, etc. C.
[3] demaundaunt, AETX. pleygnaunt, D.
[4] cuntee, X.
[5] Ins., adeprimes, L. Ins., avaunt, various MSS.
[6-7] terres ne chatels, TEX.
[6-8] tere ne tenement, A.
[9] Ins., ne atachee, A. Sim. CET. [10] avera, AET.
[11] demaundaunt, ATX. pleyntif, CLO.
[12] Ins., del pays qe il ly face venir, T. Sim. AE.
[13] BDCLO and many other MSS. have Lincoln.
[14] iusticiariis nostris apud Westmonasterium, CA.
[15] Ins., vel coram nobis tali die, C.
[16] Ins., ensemblement od autres, X. Sim. AE.
[17] Ins., insultum fecit apud N. et ipsum, C.
[18] et alia enormia ei intulit ad grave dampnum ipsius A., C.

Fet Asaver 81

Et unde vicecomes noster mandavit nobis[1] quod praedictus A. clericus est et non habet laicum feodum in balliva sua per quod potest attachiari seu distringi. Et habeas, etc. En meme la manere a chescun bref de trespas [2]en tel cas.[3]

Acune feze avient ke en le plai de tere dont nous avoms avaunt parle ke le garaunt[4] fet defaute apres apparaunce; e donkes istra un tel[5] bref [6]de jugement,[7] ke est appelle le petit Cape ad valentiam, en ceste manere: Rex vicecomiti salutem. Cape in manum nostram de terra A. in balliva tua pro defectu eiusdem A. ad valentiam unius virgatae terrae cum pertinentiis in N., quam B. in curia nostra coram iusticiariis nostris, etc., clamat ut ius suum versus D. Et unde praedictus D. vocat[8] praedictum A. ad warrantum versus eum. Et summoneas per bonos summonitores praedictum A. quod sit coram iusticiariis nostris apud Westmonasterium tali die ad audiendum inde iudicium suum. Et habeas, etc. Teste, etc.

E acune feze avient ke le tenaunt apert e pleder,[9] e [10]le demandaunt counte vers luy; e le tenaunt[11] iette avaunt une exception

[1] iusticiariis nostris apud W. tali die vel nobis tali die, C.
[2-3] Om., AEX. [4] grant Cape, BY.
[5] petit, E. [6-7] Om., AEX.
[8] in eadem curia nostra coram iusticiariis vocavit, C.
[9] veout pleder, CE. enplede, A. [10-11] Om., C.

[1]encontre le bref e encontre le principal action[2]; e de ceo enpernent[3] [4]en ieuparty[5] apert[6] e agayn, e de ceo se mettent en le pays.[7]

E acune feze avient ke [8]un garaunt est vouche e[9] entre en garauntie. E donc deit le demandaunt counter vers luy ke atort par sa garauntie ly deforce taunt, [10]e le garaunt respondra [11]com tenaunt.[12] E paradventure par acune exception se mettra en le pays, e le demandaunt aussi.[13] E en quele manere ke ceo seit [14]la justice purverra,[15] e par assentement des parties, e solom ceo ke la chose est grande ou petit e le pays loinz ou pres.[16] E si lenqueste deit estre prise en[17] counte, donc siuera[18] le demandaunt un tiel bref de jugement:

[1-2] *Sic*, ACX. Om., BDLORY. encontre le principal action, E.

[3] sey prent, AC. pernent, L. prent, E.

[4-5] il, BY. les parties, CLR. partye, O. un jupartye, D. en partye, A. de ce juparte, E.

[6] a iuparte aperte, C. eut aperd, L. e le un party apert, R.

[7] pleys, C. Ins., e le demaundaunt le revers en le pays, A. Sim. E. The text printed in Fleta ends at this point.

[8-9] li vouche agarant, E.

[10-13] Om., C.   [11-12] meintenant, B.

[13] For this sentence A. reads, et par akun exception transverserer le counte et sey mettra en le pays, e le demaundaunt le revers sicum avaunt. Sim. E.

[14-15] il serra purveu par agard des justices, E. Sim. A.

[16] Ins., coveent il qe la enqueste seyt prise en Baunk ou en countee, A. Sim. C.

[17] en baunc ou en pleyn, XE.   [18] avera, AE.

Rex[1] vicecomiti salutem. Praecipimus tibi quod coram te et coram custodibus placitorum coronae nostrae venire facias duodecim tam milites quam alios liberos et legales homines de visneto de N., per quos rei veritas melius sciri poterit; qui[2] nec A. de B. nec C. de D. aliqua affinitate attingant. Et per eorum sacramenta diligenter inquiras utrum praefatus C. fecerit[3] homagium et servitium, scilicet quatuor solidos per annum de una virgata terrae cum pertinentiis in N.; et si praefatus A. de homagiis et servitiis praedictis sit in seisina sicut praefatus C. dicit, an praefatus C. numquam inde fecit praedicta homagia nec servitia praefacto A. de praedicta terra; ne praedictus A. inde est in seisina sicut praefatus A. dicit. Quia tam praedictus A. quam praedictus C. inter quos contentio est posuerunt se in inquisitionem illam; et inquisitionem quam inde feceris scire facias iusticiariis nostris apud Westmonasterium tali die. Et habeas ibi nomina iuratorum et hoc breve. Teste, etc.

E si lenqueste deit estre prise en Baunc donc issint: Rex vicecomiti salutem. Praecipimus tibi quod venire facias coram iusticiariis, etc., duodecim tam milites quam alios

---

[1] B. crosses out this writ and has in margin, Quia vacat per statutum Westm. secundum.

[2] quod, BY.   [3] fecit, various MSS.

84 Four Thirteenth Century Law Tracts

liberos et legales homines de visneto de N. per quos, etc.; et qui nec, etc.; ad recognoscendum super sacramentum suum utrum praedictus C. habuit ingressum in una virgata terrae cum pertinentiis in N. per D, patrem praedicti C., cuius heres ipse est, per feoffamentum sicut praedictus C. dicit; an ad terminum decem[1] annorum tantum qui praeteriit sicut praefatus A. dicit. Quia tam praedictus A. quam praedictus C. inter quos contentio est posuerunt se in inquisitionem[2] illam. Et habeas, etc.

E donc deit le viscounte fere elire les douze jurors e les comaundera [3]de la part[4] le Rey ke il seient [5]a teu jour com le bref dist[6] au Baunc devaunt justices aparfere[7] cele iuree; e enverra[8] touz lur nouns endossez sur le bref del enqueste.[9] E sil[10] viegnent au jour donkes[11] passera lenqueste si acune des parties ne se face essonier. E sil ne vienent au jour donc siuera le demandaunt un tiel bref [12]de jugement kant sa parole serra enroule.[13]

[1] sex, Y.   [2] juratam, BDO. jure, A.

[3-4] de par, ABCDOXY. par, E.

[5-7] devant justices a cel iour ke est done en le bref aparfere, C.

[6] voet, various MSS.   [7] afere, L.

[8] enveyer, C. nomer, X. envoyra, L.

[9] Ins., si akun des partyes ne se face essonier, B.

[10] Ins., ne, AY.   [11] Omit to following donc, BD.

[12-13] Om., C. quant il avera sa parole entre en roule, X. quant il serra venuz a sun iour et entre sa parole en roule, A. Sim. E.

Rex vicecomiti salutem. Praecipimus tibi quod habeas coram iusticiariis nostris apud Westmonasterium tali die corpora A.[1] B. C., etc., iuratorum inquisitionis[2] inter R. filium W. petentem et J. tenentem de una virgata terrae cum pertinentiis in N. ad faciendam iuratam illam. Et habeas, etc.

E sil avient ke la iuree ne vient pas a teu jour, donc siuera[3] le demandaunt[4] la defaute sur les jurors par un tiel bref; a destreindre les par le grant ou par le petit destresce solom ceo kil est de purchase, en ceste manere: Rex vicecomiti salutem. Praecipimus tibi quod distringas A. B. C. iuratores, etc., per omnes terras et catalla sua in balliva tua, quod nec ipsi nec aliquis per ipsos ad ea manum apponant donec inde habueris praeceptum; et quod de exitibus eorundem vobis respondeas; et quod habeas corpora eorum coram iusticiariis nostris, etc., ad faciendam iuratam illam. Et habeas ibi hoc breve.

Ore est asaver ke si lenroulement die issint: concessum est huic inde iudicium, donc lequel ke il viegne ou non jugement passera, e nul essoigne nigist. E si len roulement ne

[1] Rogeri Dunstan, BCDORXY and other MSS.
[2] summonitorum in curia nostra coram iusticiariis nostris apud Westmonasterium, C.
[3] vendra, AEX.
[4] Ins., a tel iour et sewra, AEX. For the rest of this sentence read, un tel bref, C.

die nient issint, donc igist essoigne e autres delayes apres. E si lenqueste passe pur le demandaunt, donc avera il un tiel bref de aver seisine: Rex vicecomiti salutem. Scias quod A. in curia nostra coram iusticiariis, etc., per considerationem eiusdem curiae nostrae recuperavit seisinam suam versus B. de tanta terra cum pertinentiis in N. Quare tibi praecipimus quod eidem A. de praefata terra cum pertinentiis sine dilatione plenariam seisinam habere facias sicut praedictum est. [1]En meme la manere serra le bref kant lem recovere seisine[2] par defaute, sicom desus est dit.[3]

Ore est adire del secunde membre ke est de fee e de dreit e nient de demeyne,[4] sicom del bref Quod permittat. [5]E fet asaver [6]ke aver [7]fee e[8] dreit [9]e nient demeyne est sicom[10] de[11] pescher[12] en autri ewe, pasture en autri[13] soil, [14]de aver[15] renables estovers en autri

---

[1-3] E kant terre est recoveree par defaute donkes issint: Rex vicecomiti salutem. Scias quod A. in curia nostra coram iusticiariis nostris apud Westmonasterium recuperavit seysinam suam versus B. de tanta, etc., per defaltam ipsius B. Et ideo tibi praecipimus, etc., omnia ut supra, C.

[2] Ins., par jugement, mes quant lem rekevere seysine, A. Sim. E.

[4] Omit to following demeyne, Y.

[5-10] Om., X.   [6-11] cum, A.
[7-8] Om., B.   [9-11] Om., E.
[12] pescherye, A. Ins., et de autre, D.
[13] Ins., several ou, L,
[14-15] et cum le bref de, AE.

Fet Asaver

boys, e en teus autres cas semblables; kant lem demaunde fraunchise en autri soil, boys, ewe, pasture, apurtenaunt a son fraunc tenement, e lem demaunde nul rien de soil. E si est asaver ke teus brefs sunt pledes ausicom brefs de trespas, par attachement e par destresse,[1] e nient par le grant Cape ne par le petit. En [2]meme la manere[3] sunt autres brefs de plai de tere pledes par attachement e par destresse, sicom bref de Covenant, Quare eiecit,[4] Quo iure, de Fine Facto, Warantia Cartae, Quare impedit.[5] E en acun de ceus deit hom aver la veue[6] e en acun nient, sicom en le bref de trespas [7]ne deit hom nient aver la veue[8] purceo ke ceo est son tort demeyne. E fet asaver ke kant hom attache cest plai del Quod permittat[9] par attachement e par destresse tut iekes a la fin, donc [10]al apparaunce[11] apres si deit hom[12] counter del fee e del dreit e de la seisine son auncestre, del debet saunz plus si son bref seit tiel e ke il ad siute e dereine. E donkes poet la defendaunt sey defendre par bataille ou par graunt assise, purceo ke la plai est tut del dreit; ou sil

[1] Omit to following destresse, A.
[2-3] ausi, C.   [4] Ins., infra terminum, EA.
[5] Ins., de avoeison de eglise, E. et de advocatione ecclesiae, A.
[6] Omit to following veue, D.
[7-8] Om., C.   [9] Ins., et del facias habere, A.
[10-11] a la parentee, A.   [12] le demaundaunt, AE.

counte del debet e del solet[1] e de sa seisine demeyne, e si son bref seit tiel, donc ne poet ne[2] deit le defendaunt[3] sey defendre par bataille ne par grant assise einz[4] descenderont en enqueste; e issint serra termine [5]purceo ke il counte de sa seisine demeyne.[6]

Ore est adire de les delayes ke sunt en ceus brefs e[7] des brefs[8] de jugement. A la primere journee poet le defendaunt sey essonier de mal de venue sil voet, ou fere defaute [9]devaunt e fere sey essonier apres[10] al autre jour; purceo ke sil[11] sey fist essonier al primere journee, donc sil face defaute apres

---

[1] " Plusurs brefs de coustomes e de services sunt. Un est del debet e del solet, un autre del debet saunz le solet. La terce est en defendant coustomes e services. La quarte est del non solet e del non debet. E checon de ces quatre ayt diverse nature. La nature del solet est en ceo cas, — la ou le defendant soleyt fere coustomes et services a celi meme qe les demandant. La nature del debet sans le solet gyst par la ou le ancestre del demandant soleyt estre seysi de ces costumes e de ces services, e la gyst batayle. Le bref en defendant coustomes e services gist en ceo cas, — ou lem demande coustomes et services de un homme qe fere ne deyt ne soleyt. La quarte est la ou lem demande coustomes e services de un homme qe tent terre ou tenement. Les premers sunt overs e les autres clos. Ore fet asaver qe en le le bref del debet sanz le solet gyst batayle e graunt assise, e si deit un counter de la seysine son ancestre dount il furunt en seysine." In Brevia Placitata. Camb. Uni. Library MS., Hh. IV. 1., fol. 154.

[2] ne ne, OL and other MSS.   [2-3] il pas, AE.
[4] mes, AE.   [5-6] Om., AE.
[7-8] Om., E. C. omits this sentence.
[9-10] qe pluys vaut et sey assonyer, A.
[11] il, BCDY.

il serra mis par gage e sauf plegges.[1] E
sil face puis defaute ses plegges serront amercies; e sil sey face essonier apres defaute,
donc par lessoigne ad il sauve ses plegges.
E si est asaver kil poet aver essoigne a la
primere journee, ou apres la premere defaute,[2] ou apres la secunde defaute, e nient
autre; purceo ke il ne poet aver nul essoigne
kant il est destreint par teres e par chateus.
E sil face defaute, donc avera le demandaunt
un tel bref de jugement:

Rex vicecomiti salutem. [3]Pone per vadium et salvos plegios A. quod sit coram iusticiariis nostris, etc., tali die ad respondendum
B. de placito quod permittat ipsum habere
communiam pasturae in terra ipsius A.,
[4]vel in bosco, vel in aqua, vel in marisco,
sicut habere debet et solet[5]; et ad ostendendum quare non fuit coram praefatis iusticiariis nostris tali die sicut summonitus fuit.[6]
Et habeas ibi nomina plegiorum et hoc breve.
Teste, etc.

E donc deit le viscounte endosser les nouns

[1] Ins., E sil face puis defaute apres il serra mis par
gage e meillor plegges, E.

[2] Omit to following defaute, A.

[3] L. omits all to next writ.

[4-5] Aut quod permittat eum habere rationabile esto-
verium suum in bosco ipsius A. de N. quam vel quod
habere debet et solet, ut dicit, C.

[6] Ins., vel sic: et ad ostendendum quare non servavit
diem sibi datum per essoniatorem suum coram iusticiariis
nostris apud W. tali die, C.

des plegges en cel bref. E puis apres sil face defaute si istra un tel bref:

Rex[1] vicicomiti salutem. Pone per vadium et salvos plegios W. de N. quod sit coram iusticiariis nostris apud Westmonasterium tali die ad respondendum J. de E. de placito quod permittat, etc. Et summoneas per bonos summonitores, etc., A. et B. primos plegios suos quod tunc sint ibi, ad audiendum iudicium suum de hoc quod non habuerint praefatum W. coram iusticiariis nostris tali die sicut illum replegiaverint. Et habeas ibi nomina secundorum plegiorum et hoc breve. Teste, etc.[2]

E sil fust avaunt essoigne apres ceo ke il out fet la primere[3] defaute, e puis mis par gage e sauf plegges, donc dirra le bref issint:

Pone per vadium et melioris plegios W. de N. quod sit coram iusticiariis nostris, etc. ad respondendum, etc.; et ad ostendendum quare non servavit diem sibi datum per essoniatorem suum coram iusticiariis nostris apud Westmonasterium tali die. Et habeas ibi, etc.

E sil face puis autrefeze defaute, donc avera le demandaunt un tel bref de jugement:

[1] RT and other MSS. omit this writ and all after it to the Great Distress, thus making the process conform to the first Statute of Westminster.

[2] The scribe of C. has mixed up this and the following writ.

[3] Om., AEX.

Fet Asaver

Rex[1] vicecomiti salutem. Praecipimus tibi quod[2] distringas A. per terras et catalla sua in balliva tua, ita quod habeas corpus eius coram iusticiariis nostris, etc., tali die ad respondendum B. de placito quod permittat eum habere communiam pasturae in N. pertinentem ad liberum tenementum suum in B., sicut habere debet et solet, ut dicit. Et ad audiendum iudicium suum de pluribus defaltis. Et habeas ibi, etc.

E donkes endossera le viscounte en le bref les nouns[3] des meynpernours, e ceus ki ne viegnent au prochein jour serront[4] amercies: e donc[5] istra[6] un tiel bref de jugement:

Rex vicecomiti salutem. Praecipimus tibi quod distringas W. de N. per omnes terras et catalla sua in balliva tua, ita quod nec ipse nec aliquis per ipsum ad ea manum apponat donec aliud inde a nobis habueris praeceptum. Et quod de exitibus eorum nobis respondeas. Et quod habeas corpus eius coram iusticiariis nostris, etc., ad respondendum J. de C. de placito quod permittat, etc. Et ad audiendum iudicium suum de pluribus defaltis. Et habeas ibi hoc breve, etc. Teste, etc.

[1] Omit all to next writ, A.
[2] quod non, B.   [3] somenours, B.
[4] Ins., tauntoste, X. jour ensuant il serrount, E.
[5] puis sil ne venent nent donc, E. Sim. X.
[6] Ins., hors des roulles, E.

92 *Four Thirteenth Century Law Tracts*

Ore est asaver ke apres ceo bref ne istra iammes nul autre, mes apres ceo bref purra la parole estre delaye par le viscounte.[1] E donc serra fet en meme la manere solom des diverses natures[2] des [3]brefs ou[4] delayes par le viscounte com est dit avaunt, e tot [5]teus siuere[6] le bref sur le viscounte. E fet asaver kil est en peril en teu plai a fere defaute apres veue e nient devaunt, kar mes kil face dis defautes avaunt veue il les purra[7] fere par favor del viscounte. E iammes partaunt ne perdra tere ne tenement, mes il purra acune fez estre [8]amercie e[9] greve par amerciament; e le viscounte aussint, [10]sil siust bien.[11] Apres ceo purra il apparer e demaunder veue de ceo boys, [12]marreys, [13]pescherie, more,[14] ou pasture[15]; ou il demaunde cele commune. E donc istra[16] un tiel bref de iugement:

Rex vicecomiti salutem. Praecipimus tibi quod sine dilatione habere facias A. visum de decem acris terrae cum pertinentiis in C. in quibus B. in curia nostra coram iusticiariis nostris, etc., clamat habere communam pasturae tamquam pertinentem ad liberum

---

[1] Ins., cum est dist avant, D.
[2] maneres, ADEOXY.
[3] Omit to following bref, L.
[3-4] Om., AE.
[5-6] veyr sywre, A. Sim. E.
[7] Ins., bien, BY.
[8-9] Om., ACDEX.
[10-11] si le pleintyf voille sure les defautes, O.
[12-14] Om., C.
[13-15] etc., E.
[16] avera il, ACDX.

tenementum suum in E. Et dic quatuor militibus ex illis qui visui illi interfuerint, quod sint coram iusticiariis nostris apud Westmonasterium tali die ad testificandum visum illum. Et habeas ibi nomina militum et hoc breve. Teste, etc.

E puis poet il aver essoigne, e puis venir e respondre; e mettre sey en dieu e en la grant assise, lequel il ad meudre dreit a tenir cele pasture [1]en son[2] several sicom il la tient, ou lautre de aver la commune sicom il la demaunde. Ou il purra son dreit defendre e[3] la seisine [4]son auncestre [5]tut outre[6] par le cors son fraunk homme pur[7] le debet,[8] e agager la bataille; ou il purra dedire sa seisine e son dreit defendre, e mettre sey en lenqueste par le solet.

Ore est adire del terce membre de plai, ke est [9]sur les brefs ke sunt[10] de fee e de demeyne e nient de dreit; sicom [11]del bref de Mortdauncestre e de ses membres, sicom del bref de Cosinage, del Ael, e de Renable Partie ke est appelle Nuper obiit. [12]E adeprimes del Nuper obiit.[13] Est asaver ke tut seit le Nuper obiit de fee e de demeyne[14] saunz plus, nepurkant lem counte [15]en ceo bref com[16] de fee e de demeyne e de dreit,

[1-2] ou en, A.
[3] e dedire, C.
[4-6] Om., E.
[5-6] Om., C.
[7-8] Om., C.
[9-10] Om., ALE.
[11] Omit to following sicom, E.
[12-13] Om., LE.
[14] Omit to following demeyne, A.
[15-16] Om., L.

par deus resouns. Lun est purceo ke tut neit le demandaunt nule dreit en le heritage [1]de dreit dreit,[2] ne cely kil[3] cleyme estre son parcener[4] dreit en sa tenaunce; nepurkant puis ke son parcener est [5]entre, [6]si est il dreit ke cely kil[7] cleyme estre son parcener [8]e de meme la lyne ke[9] meme la resoun [10]eit pur ly ke lautre ki tient tut[11] le heritage ke il dust partir od ly. E issint tut [12]neit il pas dreit al tot a partie si ad il dreit.[13] Lautre resoun est ke la ou le demandaunt counte de la seisine son auncestre ki morust nad geres [14]puis en son demeyne[15] com de fee e de dreit, son adversaire ki est defendaunt ne poet pas cel dreit defendre ne dedire[16]; car sil feist[17] partaunt enentereyt[18] il son dreit demeyne, e le dediret purceo ke il est entre par memes cely auncestre; [19]e rien nad fors par cel dreit com memes cely

[1-2] Om., AC.   [2] Ins., purement, XE.
[3] qi, DAE.   [4] Omit to following parcener, D.
[5-8] Om., L.
[6-7] par ceoly auncestre de ky seysine il demande a ky il, C.
[8-13] si suppose il ke son adverseyr ad dreyt en sa partie, e il a la sue par memes la reyson, C.
[9] et, A.
[10-11] il ad pur ly qe ad lautre pur ly qi teent tut, A.
[11] Omit to following tot, L.
[12-13] ne fust il pas de dreyt a partyr si ad il dreyt, A.
[14-15] Om., AE.   [16] Ins., kar cele serreyt folie, XA.
[16-17] desdire pur ceo ke sil si est, E.
[18] D. omits this word but leaves a space for it.
[19] Omit to end of sentence, E.

out, ou com son dreit heir. E si le heir
dedist le dreit son auncestre il dedireit son
dreit demeyne. E fet asaver ke en ceo bref
ne deit hom nient aver veue de tere, purceo
ke ceo est son tort demeyne; e la tere est
assez especisie par la demaunde del heritage
ke fut a cely[1] auncestre. Ne en ceo bref
ne deit hom nient voucher a garaunt sil
cleyme[2] del heritage, mes sil cleyme[3] rien
tenir en partie; kar donc ly covient dire ke
il tient par feffement, e ke le auncestre ne
murust pas seisi. E fet asaver ke [4]en tel
cas la[5] ou lem[6] demaunde vers luy fors la
moyte, sil ne cleyme nient par[7] le purpartie,[8]
e die ke[9] le auncestre ne murust pas seisi;
[10]e sil sey mettre de ceo en enqueste e jugement passe encontre luy, il perd tut ensemble; ou autrement ne perdreit fors la
moyte.

Ore avient acune feze ke un homme ad
deus filles ou treis,[11] e[12] done a une des filles
partie de sa tere. Moert le prodhomme.
Contek est entre les soers; car celes ki rien
ne unt del feffement voillent ke ceo ke lur

[1] Ins., sun, AC. mesme celi lur, E.
[2] Ins., cun, ACEX.
[3] Omit to following cleyme, C.
[4-5] Om., B. la, Y. [6] Ins., ne, AE.
[7] fors, ABY. pur, D. [8] partye, AE.
[9] Ins., il tient par feffement e ke, C.
[10] Omit to end of sentence, D.
[11] Ins., vient le prodhomme, E.
[12] Ins., vende ou, A.

soer ad de feffement seit counte en sa partie, ou ke ele met cel tere en commune [1]oveke les autres[2] e partent totes. Mes ele voet tenir ceo en pees en son several desicom [3]ceo nest pas[4] heritage, ne son pere ne morust pas seisi.[5] Purceo ly est avis ke tut ly eit son pere done[6] une partie de sa tere ke ele nest pas purceo forclose de son dreit del heritage, kar il [7]pert ke[8] le pere voucha plus sauf en ly ke en nul autre; e purceo[9] acrust il sa partie plus kil ne fist a les autres. Jugement en ceo cas. Si le pere [10]la feffa[11] pur homage e service ele tendra cele tere en pees; e ialemeyns[12] partira le remenaunt oveske les autres, purceo ke [13]le pere[14] acrust sa partie. E en ceo cas, si [15]le pere[16] seit sages, ele serra feffe a tenir cele tere du chef seignur[17] del fee; ou a tut le meyns de son pere a sa vie, e apres son deces du chef seignur. Mes si la tere luy seit done en fraunc mariage, donc covient il ke ele seit mise od lautre heritage e partie[18] tut en commune; ou ke cele tere luy seit acounte a sa partie, e ke ele eyt le surplus de ataunt com a luy appent del autre a parfere sa partie.

[1-2] Om., L. [3-4] cel, D.
[5] vestu ne seysy, A. Ins., E partir lautre od les autres, E.
[6] feffee de, CEX. [7-8] par, D.
[9] Ins., ly, LORX. si, BY. [10-11] lessa, B.
[12] ia tardeys ele, A. [13-14] Om., B. ele, Y.
[15-16] ele, E. [17] Omit to following seygnur, OE.
[18] partent, DLY.

Fet Asaver

E donc en tel cas ne ly deit valer encontre le bref [1]cele exception, ke[2] le pere ne morust pas[3] seisi de cele tere ke ele out en fraunc mariage, purceo ke il pert ke le pere ne la dona mie pur acreste sa partie, mes pur ly conseiler [4]e eyder [5]de la tere e[6] del heritage[7] ke deit estre sa partie.[8]

E fet asaver ke si un heritage est issint departie, e un fraunk homme ki tient fraunchement[9] de cel[10] heritage seit enplede de sa tere, sil deit voucher a garaunt il deit voucher touz les parceners. E sil ne le fet il perd son voucher, [11]purceo ke si un des parceners dust garauntir e les autres nient,[12] issint serreit sa partie destrute sil perdisist, e nul [13]des parceners.[14] E donc ne ly demorreit[15] mie sa renable partie,[16] e ceo serreit tort. De autre part fet asaver ke le bref de renable partie nest iammes abatu par nontenure, ne bref de dowere dont dame rien nad; mes ke le tenaunt face defaute e le demandaunt demaunde[17] tropoy,[18] ou autrement ke fere ne deit[19] en son Cape; il poet[20]

[1-2] et le principal actioun, A.
[3] Ins., vesti ne, D.   [4-8] Om., L.
[5-6] Om., E.   [6-7] Om., A.
[9] franc tenement, E.   [10] Ins., terre ou de cel, BLY.
[11-12] kar il serreyt tort qe les uns devereynt garauntyr e neent les autres de ceo qe il teent e, A.
[13-14] rien as autres, E.   [13-16] reen as autres, A.
[15] remeyndreit, X.   [17] mande, BY.
[18] trop, E. Om., C.   [19] dust dreit, B.
[20] Ins., si il vot, X.

kant son adversaire vient[1] si[2] mester seit changer,[3] purceo ke son bref original ne nomme nient certeyment fors renable partie; e purceo ne poet le bref original[4] estre abatu. E[5] bref de jugement ne poet estre abatu, kar ceo [6]ne serreit rien[7] adire abatre le bref de jugement a nient le bref original.

E fet asaver ke ceo bref est plede par memes les delayes com les autres brefs[8] de plai de tere avaunt nomes, sicom le bref de dreit e le bref de entre e les autres brefs. Cest adire par essoigne kant il appent [9]par defaute [10]en peril[11] oveske[12] le grant Cape siuant[13] [14]kant il appent,[15] e par[16] defaute apres apparaunce[17] oveke le petit Cape siuant, e par enqueste en counte ou[18] devaunt justices termine kant il appent; e par memes les brefs de jugement [19]de seisine aver[20] sur lenqueste, ou[21] sur plai plede, ou par jugement sur defaute kant il appent; solom diverses ordres des brefs sicom desus est dit.

[1] veot, D.

[2-3] changer par reson, CX. 3. Ins., et amenuser par resoun, A. Sim. E. chalenger, EYB. luy chalange changer, L.

[4] Ins., par cel exception, C.

[5] Omit to following abatu, A.

[6-7] nent, A.

[8] Omit to end of sentence, O.

[9-12] e par defaute apres assoigne ou devant ou, E.

[10-11] Om., AS.

[13] Om., EO.

[14-15] Om., ES.

[16] Omit e par, DLOR.

[17] defaute, O.

[18] ou par, A.

[19-20] par seysine, A.

[21] Ins., par jugement, AE.

Fet Asaver

Mes ke il ¹ne gist nule² veue de tere, ne garaunt voucher, par les resouns avaunt dites; e par memes les delayes, e par memes les brefs de jugement, e par memes les essoignes, sunt pledez les brefs de Cosinage, e del Ael, e de taunt plus; ³purceo en ambedeus ces brefs poet hom aver veue de tere e voucher a garaunt.

E fet asaver ke le bref de Cosinage ne poet estre counte saunz resort⁴ amountant, e puis de⁵ decente en decente⁶ avalant. E le bref de Cosinage ne passe nient le Ael⁷; e⁸ au frere e la⁹ soer iekes al ael¹⁰ est le bref bon, e¹¹ sil passe donkes est le bref abatable. ¹²Mes le bref del Ael ne poet iammes¹³ estre counte par resort, mes tut teus¹⁴ par decente¹⁵ en¹⁶ decente¹⁷ enavalant¹⁸ iekes al neveu ¹⁹e a²⁰ la niece ki sunt demandaunz. E fet asaver ke kant deus parceners demandent un heritage par decente²¹ de un auncestre, issint ²²ke lun passe en la line

---

¹⁻² ni ad, E.
³ Omit to end of sentence, O.
⁴ Ins., en, AES and other MSS.
⁵ par, AS. Om., BEY.
⁶ Om., AES. Ins., en, various MSS.
⁷ Ins., mes resort al ael, CEORSX.
⁸⁻¹⁰ dekes al Ael, et dekes a nevew et ala nece, et si, A.
⁹ al, BY. a la, EOS. en, RL.
¹¹ Omit rest of sentence, D.
¹²⁻¹³ Om., D.   ¹⁴ veys, A. veirs, E. ceus, Y.
¹⁵ defaute, B.   ¹⁶⁻¹⁷ Om., ACL.
¹⁸ descendaunt, AES.   ¹⁹⁻²⁰ de, A.
²¹ defaute, B.   ²² Omit to following issint, Y.

100 *Four Thirteenth Century Law Tracts*

un degre plus loinz ke[1] lautre, issint ke lun deit[2] aver le Mortdauncestre de la mort son pere, e cely memes fut pere[3] a lun e ael a lautre, issint ke cely neveu dust aver bref del Ael, il covient ke le uncle e le neveu seient ioynt[4] en le[5] bref; e donc averont [6]il ambedeus[7] un bref ke avera la nature del [8]Mortdauncestre e del Ael, mes ke le bref siuera plus la nature del Ael, purceo ke il serra termine par enqueste sicom le bref del Ael, [9]e nient par assise sicom le bref de Mortdauncestre,[10] en ceste manere.

Rex vicecomiti salutem. Praecipe W. quod iuste et sine dilatione reddat A. et B. unam carucatam terrae cum pertinentiis in N. unde C., pater praedicti A. et avus praedicti B., cuius heredes ipsi sunt, fuit seisitus in dominico suo [11]ut de feodo[12] die quo obiit. Et nisi fecerit et praedicti A. et B. fecerint te securum de clamore suo prosequendo, tunc summoneas, etc.[13]

Mortdauncestre est plede par assise e iammes en autre manere, si le tenaunt ne sache rien dire encontre lassise. E ceo plai

[1] Ins., en, L.   [2] put, A.
[3] frere, B.   [4] Ins., ensemble, AE.
[5-7] Om., E.   [6-7] Om., A.
[8] Omit to second del following, Y.
[9-10] Om., E.   [11-12] Om., C.

[13] Ins., qe il seyent devaunt nos justices quant il vendrount en celes partyes as premers assises a respoundre, etc. Et eyez ylokes, etc., A.

Fet Asaver

est tut[1] de fee e de demeyne e nul rien de dreit. E en cest bref poet hom aver une essoigne a la primere journee, e donc avera il un autre jour[2] par lessoigne, e a ceo jour il purra fere defaute; e donc serra il resomons par un bref [3]ke il viegne a un autre jour.[4] E si lassise viegne a cel jour, donc serra ele aiourne [5]iekes a meme cel jour[6] ke est done devaunt au tenaunt [7]en le bref de jugement de la resomonse; mes si lassise face defaute le demandaunt siuera un tiel[8] bref de jugement de fere venir lassise.

Rex vicecomiti salutem. Praecipimus tibi quod habeas coram iusticiariis nostris, etc., tali die corpora A. B. C. D., etc., recognitorum assisae mortis antecessoris quam J. de E. in curia nostra, etc., arramiavit versus talem de una carucata terrae cum pertinentiis in N.[9] ad faciendam recognitionem[10] illam. Et habeas ibi hoc breve, etc.

E puis si le tenaunt ne viegne mie a teu jour, si[11] passera lassise par sa defaute; [12]cest adire kil[13] ad perdu chescune manere de response e chescune chalange encontre le

---

[1] Ins., purement, AE.
[2] bref, L. Omit to following jour, B.
[3-4] Om., ACEX. ke istra hors de roulles, R.
[5-6] a un autre ior, E. [7-8] cele, E.
[9] Ins., et versus talem de una virgata terrae cum pertinentiis in B., C.
[10] iuratam, C. assise, A. [11-13] il, ES.
[12-13] e sil ne veyne a tel iour il, G.
[13] qe si il ne veent a tel iour il, A.

bref e encontre lassise[1] [2]issint; mes ke il seust e peust acun chose dire encontre ceus de lassise parunt ele ne dust passer, ou[3] encontre le bref de nontenure, ou [4]de acun remunant; sicom[5] de chalenger la gent [6]de lassise[7] purceo ke il sunt alliez par affinite, ou par coruptons dedons, ou par homage,[8] ou[9] par autre resoun renable, [10]parunt il serreient remuables[11] ne serra oy; mes si lassise seit[12] la ele serra prise. E si ele ne seit nient la [13]le demandaunt siwera[14] un tiel bref[15]:

Rex vicecomiti salutem. Praecipimus tibi quod distringas A. B. C., recognitores assisae mortis antecessoris quam J. de N. in curia nostra coram iusticiariis nostris, etc., arramiavit versus J. de C. [16]de tanta terra,[17] etc., per[18] terras et catalla sua in balliva tua;

[1] seysine, A.
[2] Omit to following assise, AXS.   [3] Om., ABLY.
[4-5] actioun a remenaunt ou de autre chose ou, A.
[4-8] ou chalenge gent de lassise, EG.
[5] ou de autre chose ou, CX.   [6-7] Om., A.
[9-11] e nent, EG.
[10-11] cest adire qe apres tel iour la resoun, A.
[11] Ins., par reson, CX.
[12] Omit to following seit, C.
[13-14] lem la fra venir par, CX.
[13-15] dunke lem le fra vener dunk la par un tel bref; et le tenaunt ne serra iammes somouns apres ne atachee a vener, mes veygne si il vout ou lesse qe ataunt ly vaut lun cum lautre, A. Sim. EGS.
[16-17] de una virgata terrae cum pertinentiis in N., et versus talem de tanto in E., C.
[18] Ins., omnes, BYA and other MSS.

Fet Asaver

ita quod habeas corpora eorum coram iusticiariis nostris, etc., ad faciendam recognitionem illam et ad audiendum iudicium suum de pluribus defaltis. Et habeas, etc.

E[1] sil ne viegne a ceo jour, donc istra un teu bref, mes de tenaunt ne serra fet nule mention.[2]

Rex[3] vicecomiti salutem. Praecipimus tibi quod distringas, etc., recognitores assisae mortis antecessoris quam J. de E., etc., per omnes terras et catalla sua in balliva tua; [4]ita quod nec ipsi nec aliquis per ipsos ad ea manum apponant donec, etc.[5] Et quod de exitibus eorundem nobis respondeas; et quod habeas corpora eorum coram iusticiariis nostris, etc., ad faciendam recognitionem illam et ad audiendum iudicium suum de pluribus defaltis. Et habeas, etc.[6]

Ore est asaver ke iammes apres ceo bref autre bref ne istra; mes tut teus[7] rehercer[8] memes ceo bref fors mettre au comencement

---

[1-2] Om., A. Unkore porra avenir ke la assise ne vendra pas a cel iour, e donkes avera le demandant un bref a destreyndre la assise par totes lur terres e lur chateus, issint ke le visconte respoyne des issues; e ceo est par le grant destresse en ceste manere, mes de tenant ne serra fete nule mention par la reson avant dit, C. Sim. X. EGS have the first part of this passage through bref.

[3] Omit this writ, A.   [4-5] Om., X.

[6] Here D. inserts a long passage which is an exact repetition of parts already given and evidently a mistake on the part of the scribe.

[7] veys, A. Sim. EG. iours, D.

[8] Om., AEG.

sicom desus est dit, issint:[1] Praecipimus tibi sicut alias, etc.[2] E puis a la fin issint: Et tu ipse tunc sis ibi ad audiendum iudicium tuum de hoc quod praefatos, etc.[3] E fet asaver ke iammes homme par[4] ceo bref ne purra perdre[5] par defaute, ne nul peril aver par quey lassise ne die[6] mie encontre ly, [7]fors ke il serra[8] amercie par sa defaute.[9]

Ore est adire del quarte member[10] [11]de plai[12] ke est de demeyne, e nient de fee ne de dreit; sicom le bref de novele disseisine en totes ses maneres. Kar par ceo bref ne poet homme demaunder nul dreit ne recoverir nul fee, mes soulement fraunc tenement, [13]ou ceo ke a fraunc tenement appent; issint ke lem puisse assigner disseisine de fraunc tenement ou nusance a fraunc tenement.

[1] Om., ACEGL X.
[2] qe tu destreygnez etc., A.
[3] cely et cely ne destreygnas tes, A.
[4] apres, LS. en, EG. Omit par ceo bref, A.
[5] Ins., tere, AEG. [6] deit, D.
[7-8] ou oveske ly il ne serra neent, A.
[7-9] Om., EGS. [10] manere, CDLO X.
[11-12] Om., AEG.
[13] Omit to following ou, Y. For rest of sentence read, cest adire recoveryr meme la seysine e meme lestat qe il out le iour qe il fust engetee ou disseysy. Ceo bref pust chekun humme porter qi cleyme tener Boys, pasture, pescherye, marreys, veye, more, franchement a ly et a ses heyres ou a terme de sa vie, et de totes les choses qe touchent frank tenement et a fraunk tenement apendunt saunz chateus, issi qe puysse assigner disseysine ou nusaunce, A. Sim. EGS.

Fet Asaver

E[1] fet asaver ke novele diseisine ne [2]serra pas[3] plede hors del counte, ne nule essoigne nigist; mes lequel ke le [4]tenaunt, ki mieuz est appelle[5] deforceour, viegne au jour ou non, [6]si lassise seit la ele passera.[7] E fet asaver ke le bref est en deus maneres en sa nature, kar la ou homme [8]se pleint estre diseisi de rent,[9] soil, ou pasture, la deit homme pleder par assise; e la ou homme [10]se pleint[11] de nusance [12]a fraunc tenement,[13] [14]sicom de mur, fosse, haye, estanc [15]haute ou leve,[16] ewe estopee,[17] ou mesoun levee a nusance de son fraunc tenement, la poet homme pleder e le plai determiner en counte. E donc ne serra nient [18]le bref terminer[19] par assise mes par enquest. E serra le bref tiel:

Rex vicecomiti salutem. Questus est nobis A. quod B. iniuste et sine iudicio levavit vel prostravit quoddam fossatum, etc., ad nocumentum liberi tenementi sui in eadem villa,

---

[1] Omit this sentence, S.

[2-3] deyt pas estre, AEGL.

[4-5] Om., EG.

[6-7] le assise passera, ACEGX.

[8-9] perde tenement ou autre chose parount il pust estre disseysy de, ACX. Sim. EG.

[10-11] plede fors soulement, ACEGX.

[12-13] Om., ACEGX.

[14] Omit to following tenement, BY.

[15-16] Om., ACEG.

[17] Ins., ou estaung enhancee ou molyn levee, A. Sim., EG.

[18-19] determine, X.

106 *Four Thirteenth Century Law Tracts*

vel in alia, [1]post nostram primam transfretationem in Brittaniam.[2] Et ideo tibi praecipimus quod loquelam illam audias, et postea eum inde iuste deduci facias; ne amplius, etc. Teste, etc.[3]

E fet asaver ke chescun homme e chescune femme [4]de lur[5] tenement a lur vies purront[6] pleder par bref de novele diseisine en totes ses[7] maneres; sicom un homme ki tient tere par la ley de Engletere. Sicom[8] kant un homme espouse une femme ki ad heritage ou purchase [9]ou fraunc mariage,[10] e il engendre un enfaunt de la femme, il tendra la tere sa femme a tota sa vie, lequel

[1-2] puys nostre premere passage en Bretaygne, AEX and other MSS. puys nostre dreyne passage en Bretaingne, G. post primam transfretationem domini Henrici regis in Wasconiam, L. post primam transfretationem domini H. regis patris nostri in Vasconiam, CDOV and other MSS.

[3] Ins., Ou issi purrez pleder devaunt justices par assise, etc. Le Rey, etc. Pleynt est a nous W. qe R. atort et saunz jugement ad levee ou abatu un fossee, ou estaung, haye, ou tele chose, ou ad estopee une veye, ou un dam, ou sourd de une ewe en N., amenusaunte a sun fraunk tenement, puys nostre premere passage en Britagyne. E pur ceo nous vous comandums qe si lavaunt dit W. vous face enseur, etc., dunke facez vener XII fraunks hummes et leus del visinee de M. vere cele fossee, etc. Et lours nouns facez estre enbrevez, etc., sicom des autres brefs de disseysine tut outre, A. Sim. EGS.

[4-6] qi ad fraunk tenement pust, A. ke tient terre au terme de vie purra, E. Sim. G. de son fee e son franc tenement a son vie purront, X.

[5] Ins., franc, L.   [7] les autres, AEGX.
[8] Ceo est la ley de Engletere, A. Om., EGCX.
[9-10] Om., EG.

Fet Asaver

ke lenfaunt moerge ou vive, [1]par la ley de Engletere.[2] E ceo est appelle le ley de Engletere purceo ke ele fut controve[3] en Engletere pur [4]les poveres[5] gentils hommes ki [6]espousent gentils[7] femmes ki [8]unt heritage; e il ne unt rien ne rien ne averont dont vivere si lur femmes fussent mortes autrement. E[9] femme ki tient en dowere poet pleder par ceo bref de novele diseisine, e chescun homme[10] ki est feffe [11]par escrit[12] a terme de vie.

Ore est adire de plai de avoeson de eglise ke ne poet estre plede fors par treis brefs.[13] Lun est appelle Praecipe, ke est un bref a demaunder avoeson [14]de eglise[15] com de fee e de dreit encountant de la seisine son auncestre ou de sa seisine demeyne. E ceo bref deit estre plede [16]en meme la manere[17] com bref de dreit de plai de tere,[18] sicom est avaunt dit; e par memes les essoignes, [19]e par memes les defautes[20] e totes maneres de delayes,[21]

[1-2] Om., AEG.
[3] compone, G. trove, YA.   [4-5] plusours, A.
[6] For rest of sentence read, riens ne avoyent si par lur femmes noun ke avoyent beel (leale) heritage, EG.
[7] roefs, D.
[8] For rest of sentence read, autrement ne aveyent quant lours femmes furunt morz, A.
[9] Omit, with preceding period, BDLY.
[10] Om., L.
[11-12] Om., L. par escryst ou par covenaunt, A.
[13] maneres de briefs, X.
[14-15] en demeyne, E.   [15] Ins., en demeyne, G.
[16-17] Om., EG.   [16-18] Om., A.
[19-20] devant, E.   [19-21] defautes, A.

e par memes ces brefs de jugement; sicom
par le grant Cape e par le petit, par bref de
[1]veue, par garaunt voucher,[2] e aver bref de
somondre le garaunt, [3]par Cape ad valentiam le petit par defaute de nonplevine,[4]
e par bref de aver seisine. Mes ke en plai de
tere bref [5]de aver seisine[6] irra au viscounte,
e [7]bref de seisine aver de avoeson de eglise[8]
irra al eveske, en ceste manere:

Rex venerabili in Christo patri R. eadem
gratia N.[9] episcopo salutem. Sciatis quod
W. de N. in curia nostra coram iusticiariis
nostris, etc., per considerationem eiusdem
curiae nostrae disrationavit advocationem
ecclesiae Sancti Andreae[10] de N.

E sil seit par bref de dreyn present, [11]donc
issint: Sciatis quod A. in curia nostra, etc.
disrationavit praesentationem suam ad ecclesiam, etc., per recognitionem assisae ultimae praesentationis versus B.[12] Et ideo vobis mandamus quod ad praesentationem

[1-2] aver veue e de voucher garant, L.

[3-4] par le graunt Cape ad valentiam par noun plevyne,
A. par le Cape de noun plevine, E. par Cape ad valentiam
le grant e par le Cape ad valentiam le petit par defaute
de non plevine, G. Sim. S.

[5-6] Om., CEGX.

[7-8] en play de avoeisun de Eglise le bref de seysine,
E. Sim. G.

[9] BCDLOVY and many other MSS. have Lincoln.

[10] *Sic* BCDLRVX.

[11] The text of G. at this point is meaningless.

[12] Ins., Ceo est en le Quare impedit et en le drein present,
GXCE.

suam ad illam ecclesiam idoneam personam admittatis. Teste, etc.

Lautre bref de avoeson de eglise est appelle Quare impedit; e ceo bref est plede ausicom bref de trespas, e par memes les delayes. E si est asaver ke kant ily ad plai de avoeson de eglise, [1]e leglise seit voide,[2] donc deit le demandaunt sil seit sages aver un tiel bref [3]al eveske.[4]

Rex venerabili in Christo patri, etc. Prohibemus[5] vobis ne admittatis personam ad ecclesiam[6] de N., quae vacat ut dicitur; et de cuius advocatione contentio mota est in curia nostra coram iusticiariis nostris, etc., inter A. et B., donec discussum fuerit in eadem curia nostra ad quem illorum pertineat eiusdem ecclesiae advocatio. Teste, etc.

E la dreit fourme del Quare impedit si est kant un homme ad chartre de une avoeson e naveit unkes seisine, donc [7]par la seisine[8] poet[9] lautre tenir. E si lem ly deforce, donc poet il porter le bref de dreyn present e recoverir [10]sa seisine,[11] lequel[12] ke il ad dreit ou non [13]par sa seisine.[14] Mes ke ly ou

---

[1-2] Om., AX.
[3-4] Om., C. de jugement hors des roules, AEG.
[5] mandamus, C. comaundums, A.
[6] Ins., Sancti Andreae, C.   [7-8] Om., C.
[9] Omit to following poet, C.
[10-11] par assise, S. Ins. par assise, ACX.
[12-14] Om., C.   [13-14] Om., A.

acun de ses auncestres la [1]ont vendu[2] par bone chartre, kar chartre de[3] feffement de avoeson [4]ne poet rien valer [5]en teu[6] bref [7]ne encontre,[8] purceo ke le bref ne touche nul dreit sicom chartre de[8] feffement.[10] Mes donc deit cely ki ad chartre de[11] feffement de avoeson, ou de maner a ki cele avoeson appent, [12]ou autre resoun pur ly parunt cele avoeson appent a luy, porter[13] le Quare impedit ausicom lautre le Dreyn present, ou[14] avaunt [15]sil poet. E donc ne passera nient le Dreyn present avaunt ke le plai del [16]Quare impedit[17] seit determine.[18] E si est asaver ke le Quare impedit est plede ausicom bref de trespas; adeprimes par somonse, e [19]donc poet le deforceant[20] aver essoigne ou fere defaute; e donc istra un bref de jugement[21] de mettre le deforceant[22] par gage

[1-2] eyent vendu, A. vendit, C. vendi, EGX.
[3] ne, A.
[4] Omit to following avoeson, D.
[5-6] a cest, E. encountre cel, AG.
[7-8] Om., AEG.   [9] ou, AE. e, G.
[10] Omit to following feffement, BL.
[11] ou, AEG.
[12] Omit to following appent, BY.
[12-13] deyt dunkes purchacer, A.
[14] Omit to following present, BY.
[14-18] mes plederunt le quare impedit, A.
[15] Omit to following avaunt, EG.
[16-17] del derein present, etc., E.
[19-20] deyt hum, ACEGRX.   [20] defendant, O.
[21] attachement, S. meillur attachement, EG.
[22] destourbour, A.

Fet Asaver

e[1] sauf plegges sicom est dit avaunt en le Quod permittat; e puis aver essoigne, ou fere defaute sil voet. [2]E donc istra un bref [3]de meillour attachement[4] de mettre ly par gage e meillours plegges, e donc sunt les premeres plegges en la merci; e puis fere defaute,[5] e[6] donc serra il destreint par teres e chateus issint ke le viscounte eyt le cors; e puis fere defaute; e donc serra il destreint par totes ses teres e ses chateus issint ke ly, ne nul homme pur ly, ne mette la meyn; e ke le viscounte respoigne des issues, e ke il eyt le cors a un autre jour.[7]

La tierce [8]manere de[9] bref de avoeson de eglise si est bref de Dreyn present. E ceo bref est plede [10]par assise[11] ausicom bref de Mortdauncestre; e par memes les delayes, e par memes les brefs de jugement. Ceo bref ne touche nul rien del dreit, mes si acun des auncestres del demandaunt presentast dreyn, lequel[12] a[13] dreit ou a tort, il recovera le pre-

[1] Omit to following gage, EGS.
[2-5] Om., AR.   [3-4] Om., L.
[6] Ins., E sil face defaute, R.
[7] In not a few of the MSS. this process is shortened to agree with later legislation. Ins., et puys (si) le vescounte le delaye il serra fet sicum desuys est dit, AEGS. Ins., e dunkes apres cele brief ne pot auter brief issyr fors tut teus rehercer meymes cele e amercier le visconte sicome est avant dit si il ne eyt renable acheson pur quey il ne ad pas fet venir, X.
[8-9] Om., EGY.   [10-11] pur assoigne, EG.
[12] Ins., qil presenta, O.   [13] ceo fu, A.

sentement par ceo bref. E puis lautre pledera par un bref de dreit sil voet.

E fet asaver ke il niad fors quatre maneres de brefs ke sunt pledez par assise[1]: bref de Mortdauncestre, de Novele disseisine, Dreyn present,[2] e bref de Utrum.[3]

Ore est adire de plai de trespas ke ne poet estre plede fors en treis[4] maneres. Lune est de trespas[5] fet encontre la pees le Rey; lautre est de waste e de vente[6] fet encontre le defense le Rey; la tierce est de dette a tort detenue,[7] ou autre teu manere[8] de tort.[9]

E si sunt par[10] treis[11] maneres de brefs pledez ou[12] par attachement issint ke le viscounte eyt le cors [13]le primer jour,[14] e le bref[15]; e donc nigist nule essoigne; e ceo est en nule[16] manere [17]de trespas[18] fors [19]de trespas fet[20] encontre la pees le Rey. E si est

[1] Ins., ceo est adire, X.
[2] Ins., de avoeson de eglise, X.
[3] Ins., et utrum est un bref a fere vener une assise a reconustre le quel cele tere seyt fraunche aumoygne apurtenaunt a sa Eglise ou lay fee cely sicum il dit, A. Sim. RLC. Ins., qe est de tere de seint eglise qe est alloigne, O. Sim. EGX which then insert as A. above.
[4] quatre, BYOL.   [5] play, L.
[6] Ins., e exil, A and other MSS.
[7] retenu, EGA. Ins., e nient rendu, O.
[8] Ins., de trespas ou, L.   [9] Omit de tort, X.
[10] Om., A.   [11] quatre, EG.
[12] Om., A.   [13-15] Om., A.
[14] Ins., devant justices, O.
[16] meme la, B.   [17-18] Om., AX.
[18] Omit to following trespass, L.
[19-20] Om., EG.

Fet Asaver

le bref de graunt purchaz. Ou par attachement issint ke il viegne a respondre, e la gist essoigne. E ceo est de trespas fet encontre la defense[1] le Rey.[2] La tierce manere de trespas est[3] par somonse au primer[4] bref, e la gist essoigne avaunt defaute ou apres. [5]E en totes maneres de trespas sunt [6]les trespasours[7] attachez[8] par attachement e[9] par destresse,[10] sicom desus est dit; [11]e par bref de jugement[12] solom diverses journees.[13] Ceo est le primer attachement:[14]

Pone per vadium et salvos plegios A. quod sit coram iusticiariis nostris, etc.,[15] tali die ad respondendum B. quare[16] in ipsum B. insultum fecit, verberavit, vulneravit, et male tractavit, contra pacem nostram un dicit. Et ad ostendendum quare non fuit coram iusticiariis, etc., tali die sicut summonitus fuit; vel ad ostendendum quare non servavit diem sibi datum per essoniatorem suum

[1] pces, LEG.
[2] Ins., e encontre la defense le Roy, EG.
[3] Om., A. de dette a tort retenu si est, O.
[4] Om., A.
[5-8] et totes maners de trespas sount pledez, A.
[6-7] Om., XECG.
[9-10] Om., A.   [9-13] Om., Y.
[10] Ins., quant lem fete defaute, XCEGA.
[11-12] Om., A.   [12-14] Om., L.
[14] Omit this sentence, EGRA.
[15] Ins., ou devaunt nous ou qe nous seums en Engletere, AEG.
[16] Ins., ensemblement od autres, X. Sim. AEG.

114 *Four Thirteenth Century Law Tracts*

coram, etc., tali die. Et[1] habeas ibi nomina plegiorum et hoc breve. Teste, etc.

E[2] sil face defaute a lautre[3] jour, donc avera le demandaunt un tiel bref[4]:

Pone per vadium et melioris plegios A. quod sit coram, etc., ad respondendum B. de placito quare ipsum B. verberaverit, etc. Et summoneas, etc., primos plegios ipsius A. quod sint ibi ad audiendum iudicium suum de hoc quod ipsum non habuerint coram iusticiariis, etc., tali die sicut ipsum plegiaverunt. Et habeas ibi nomina secundorum plegiorum, etc. Teste, etc.

E[5] sil face puis[6] defaute, donc istra[7] un tiel bref:

Praecipimus tibi quod distringas A. per terras et catalla sua in balliva tua, ita quod habeas corpus eius coram, etc., ad respondendum de placito quare, etc., et ad audiendum iudicium suum de pluribus defaltis. Et habeas, etc.[8]

[1-4] Om., LR.

[2] Ins., est asaver, A.

[3] cel, various MSS.

[4] For this sentence read, Lautre attachement est, BDLOY. E sil face puis defaute donkes issint, R.

[5] For this sentence read, Le tierz attachement est tel, OL. Om., AEG.

[5-6] a quel iour si il face, C.

[6] dunk, X.

[7] avera il, X.

[8] Ins., E fet asaver que donc sunt les primers plegges e les autres en la mercy, L.

Fet Asaver

E[1] puis a la quarte defaute istra le grant destresse issint[2]:

Praecipimus tibi quod distringas A. per omnes terras et catalla sua in balliva tua, ita quod nec ipse nec aliquis per ipsum ad ea manum apponat donec, etc. Et quod de exitibus eorum nobis respondeas; et quod habeas corpus eius coram iusticiariis, etc., tali die ad respondendum B. de placito quare, etc., et ad audiendum iudicium suum de pluribus defaltis. Et habeas, etc.

E fet asaver ke apres ceo bref iammes nul autre bref ne istra, mes[3] [4]tot teus[5] rehercer memes ceo bref, e fere amercier le viscounte sil nad renable encheson[6] pur quey [7]il ne lad nient fet venir.[8]

[1-2] E puis si il face defaute donkes istra un tel bref, C. ala quarte iour issint, YB. ala quatre defaute issint, DL. Sim. X.

[3] fors, REG.

[4-5] tote veys, A. tote voyes ceo bref rehercer sicum avant est dit, G., which omits all after.

[6] a chesun, XY.

[7-8] il nad pas parfourny le comaundement, A.

[8] Ins., etc., D.

JUDICIUM ESSONIORUM.

Primum[1] capitulum de difficultate essoniorum circa viros et mulieres, sive circa plures tenentes pro indiviso sive de aliis de quibus dubitari solet. Ad primum capitulum sic respondeo: In initio omnium placitorum in quibus essonia iacent semper respicienda sunt brevia originalia ad iudicia de essoniis facienda,[2] et secundum brevia illa iudicanda sunt essonia. Sunt modo tantum[3] duo brevia de quibus tantum duo procedunt essonia generaliter, scilicet breve de recto de terra et non de dote, et Praecipe in capite quod idem est, et breve de recto de advocatione ecclesiae. Cum igitur aliqui dubitent qualiter procedendum est post essonium de malo lecti si tenens non venerit, notandum quod scmper visores infirmitatis[4] distringi debent ad veniendum ad curiam ad testificandum visum suum; primo per plegios, secundo per meliores plegios, tertio per terras et catalla, ita quod nec ipsi nec aliquis[5] per ipsos ad ea manum apponant,[6] et vicecomes respondeat domino Regi de

---

[1] The first part of this sentence is used as a rubric in some manuscripts.
[2] faciendis, L.   [3] Om., G.
[4] infirmiter semper, C.
[5] aliqui, L.   [6] apponat, G.

Judicium Essoniorum

exitibus, et quod habeat corpora eorum [1]ad alium diem[2] coram iusticiariis. Et tunc omnes plegii sunt in misericordia, et tenens semper interim iaceat; et secundum testimonium quatuor visorum procedendum est. Si[3] autem tenens ad diem sibi datum a visoribus non venerit, sed responsalem suum[4] miserit, quicumque fuerit responsalis ille dummodo aetatem habuerit admitti debet eius responsio. Sed si de eius responsione iudicium faciendum fuerit ut de deullo vadiato vel[5] magna assisa summonenda, vel alio modo per quem loquela debeat terminari, tunc iudicium illud[6] poni debet in respectu[7] quousque per quatuor milites ex parte domini Regis missos ad[8] essoniatum[9] sciatur si tenens advocaverit et concesserit quod miserit talem responsalem pro eo, et si ratum habuerit eius responsum vel non. Et si hoc concesserit tunc fiat iudicium de loquela secundum responsum suum; si[10] autem negaverit responsalem suum[11] manifesta erit defalta tenentis sicut saepius in tali casu auditum est.

De omnibus autem aliis[12] brevibus, ut de

[1-2] Om., G.

[3] Opposite this sentence in the margin of C in same hand as text is, — Hic corigatur per Stat. Westm. primum.

[4] Om., L. [5] Ins., de, OC.
[6] istud, G. [7] respectum, L.
[8-9] Om., L. [10-11] et, L.
[11] responsum suum., OC. [12] hiis, G.

morte antecessoris, assisa ultimae praesentationis, de fine facto, de warrantia cartae, de praesentationis impedimento, et de[1] similibus, tantum unum essonium [2]de malo veniendi[3] procedit generaliter. In quibus si post essonium fecerint defaltam diversis modis procedendum est. Quia in[4] praedictis brevibus de assisis si defaltam fecerint resummonientur tantum post primam defaltam. Post resummonitionem vero si defaltam fecerint capiantur assisae per defaltam, nec alia sequetur poena post huiusmodi defaltam, nisi tantum quod si post primam defaltam non[5] venerit nihil[6] dicere poterit[7] contra assisam si petens petat iudicium de defalta. De aliis brevibus praedictis fiant attachiamenta et districtiones post defaltam secundum quod praedictum est. De brevibus de dote tantum unum essonium de malo veniendi iacet generaliter, et post defaltam terram capere in manum[8] domini Regis, secundum ordinem captionis sicut de brevibus de recto terrae et advocationis. Sunt autem alia essonia in initio placitorum de ultra mare, quae[9] praecedere[10] debent essonium de malo veniendi. Quae[11] si forsan post essonium de malo veniendi facta fuerint non allocabuntur,[12] quia per essonium de

[1] Om., G.
[2-3] Om., G.
[4] de, G.
[5] Om., GC.
[6] venerint, G,
[7] poterint, G.
[8] manu, OC.
[9] Ins., semper, GC.
[10] procedere, C.
[11-12] Om., L.

malo veniendi concessum est quod tenens in veniendo fuit versus curiam; et intelligendum est quod veniens fuit a domicilio suo in Anglia, unde non potest postea transfretare per quod placitum elongetur.

Haec autem omnia essonia possunt vir et uxor[1] habere si implacitati fuerint, scilicet[2] unus eorum aut ambo; primo[3] possunt simul et semel essonium de malo veniendi et postea idem[4] de malo lecti. Sed tunc oportet semper quod alter eorum compareat. Et post essonium primi poterit alter incipere essonia sua sicut primus. Et numquam ipse qui primo habuit essonia sua poterit licet comparuerit se essoniare priusquam[5] ambo comparuerint simul et responsum dederint, vel diem habuerint prece partium. Et postquam uni eorum langor adiudicatus fuerit alter se non[6] poterit essoniare de malo lecti. Et in hoc casu de viro et muliere[7] ita semper iudicanda sunt essonia quod unusquisque[8] habeat essonium, ac si solus esset in brevi[9] et non plures, excepto hoc quod tantum unum langorem habeant.[10] Idem ordo observandus[11] est si tres vel quatuor vel plures participes fuerint in brevi indivisi ita quod

[1] mulier, C. Ins., sua, G. [2] et, C.
[3] Om., C. [4] iidem, L.
[5] plusquam, L. [6] Om., C.
[7] C and O read viris et mulieribus.
[8] uniusquisque, L. [9] Ins., suo, C.
[10] capiant, L. [11] observatus, G.

terra non[1] sit divisa inter eos. Plura super[2] huiusmodi[3] possunt accidere[4] de quibus ad praesens non recolo. Et sciendum est de participibus quod qui ultimo se essoniet[5] de malo lecti primo capiat[6] langorem pro omnibus.

Secundum[7] capitulum de forma sacramentorum circa recognitiones magnae assisae et de legibus [8]a campionibus[9] faciendis pro terra sive pro morte hominis. Circa recognitiones tale est sacramentum. Primus miles dicat: Hoc audite iusticiarii quod ego verum dicam quis maius ius[10] habet in una carcuata[11] terrae cum pertinentiis in N., Johannes qui tenet vel Henricus qui petit, et pro[12] nulla re dimittam quin verum dicam, sic deus me adiuvet et haec sancta ewangelia. Omnes alii milites dicant: Tale sacramentum quale A. hic fecit tenebo ex parte mea, sic deus me adiuvet et haec sancta. Hoc sacramentum ubique habet locum ubi aliquis posuerit se in assisa de iure tantum. Si autem tenens posuerit se in assisa utrum maius ius habeat[13] tenendi terram illam[14] de

[1] Om., G.
[2] superius, OC.
[3] Om., OC.
[4] accedere, O.
[5] Om., O.
[6] capiet, L.
[7] As in the first chapter the opening words of this and the succeeding chapters are used as rubrics in some manuscripts.
[8-9] campionum, L.
[10] Om., G.
[11] virgata, C.
[12] Om., G.
[13] habet, O.
[14] Om., OGC.

Judicium Essoniorum

petente an petens tenendi eam in dominico, tunc addatur hoc[1] sacramento ita[2] scilicet, quis maius ius habeat in [3]tanta terra[4] cum pertinentiis etc., Willelmus[5] qui tenet vel Johannes qui petit. Vel sic: Willelmus qui tenet de H. an praedictus H. tenendi eam in dominico etc. Et secundum recordum fiant sacramenta. Et si forsan[6] contigerit[7] quod miles qui primo iuraverit[8] post sacramentum factum[9] dicat secundum intellectum suum, sicut pluries[10] accidit, tunc reincipiat totum sacramentum quia in talibus assisis numquam apponitur intellectus.

De campionibus primo defensor iuret in haec verba: Hoc audis homo quem per manum teneo qui[11] te facis vocari[12] A. per tuum nomen baptismum,[13] quod una carucata terrae cum pertinentiis in B. non est ius W. de N. domini tui, nec B. avus suus fuit inde seisitus ut de feodo et iure et in dominico suo tempore [14]Henrici Regis,[15] nec expleta[16] inde cepit ad valentiam dimidiae

[1] Om., L. [2] Om., L.
[3-4] terra illa tantum, L.
[5] Omit to following Willelmus, GC.
[6] forsitan, G. [7] contingerit, O.
[8] iuraverat, O. [9] Om., GL.
[10] plures, LO. [11] quod, G.
[12] nominari, OC.
[13] baptismatis, L. baptismi, G. baptsm., O.
[14-15] Edwardi Regis etc., G.
[16] expletum, L. expletia, C. explet., OG.

122 Four Thirteenth Century Law Tracts

marcae vel [1] eo amplius, nec tu hoc vidisti, sic deus me adiuvet et haec sancta. Deinde[2] stet appellator a dextris[3] defensoris et teneat manum defensoris cum manu sua sinistra ita dicens: Hoc audis homo quem per manum teneo, qui te facis B. appellari per tuum nomen baptismum,[4] quod tu es periurus, et ideo periurus quia una carucata terrae cum pertinentiis in B. est ius domini mei, et B. avus suus fuit inde seisitus ut de feodo et iure et in dominico suo tempore Henrici Regis etc., et cepit inde expleta ad valentiam dimidae marcae et eo amplius, et ego hoc vidi, sic deus me adiuvet et haec sancta.[5] Si[6] autem loquatur appellator de visu patris sui et de tempore Henrici Regis senioris[7] tunc ita dicatur per ipsum dicto socio suo, et B. antecessor domini mei fuit inde seisitus ut de feodo et iure tempore Henrici Regis senis, scilicet anno et die quo obiit, et B. pater meus hoc vidit etc. Et in isto casu defensor sicut prius[8] iuret negative secundum tale recordum.[9]

De morte hominis iurabitur sic: Hoc

[1] et, G.

[2-5] Postea apellator iuret per eadem verba affirmando in omnibus quae defensor negavit adiungens in fine: et ego hoc vidi sic me adiuvet etc., G.

[3] dextro, C. [4] bapt., MSS. generally.

[5] Opposite this in margin of L, in same hand as text, is, — De visu campionum et de visu patris sui nichil est quia peccat per statutum prim. Westm.

[6-9] Om., L. [7] senis, G. [8] primus, C.

Judicium Essoniorum

audis homo, etc., quod patrem tuum non occidi nec plagam ei feci [1]quodam palo[2] unde[3] obiit, nec tu hoc[4] vidisti, sic deus etc. Appellator vero secundum illud[5] recordum contrarium sacramentum iurabit.

De felonia sic[6]: Hoc audis homo etc., quod ego[7] plagam non feci tibi in capite quodam palo sicut mihi inponis, nec in roberia tibi abstuli quinque solidos nec unam capam de russeto, sic deus etc. Appellator postea[8] contrarium sacramentum iurabit [9]et semper secundum suum recordum, sic deus[10] etc.

De latrocinio sic: Hoc audis homo etc., quod ego non sum latro nec socius tuus,[11] nec unum bovem tecum [12]furatus fui[13] apud N., nec ad partem meam inde duos solidos habui, sic deus etc. Appellator vero iuret sic: Hoc audis etc., quod tu es periurus[14] quia tu es latro et socius meus de latrocinio, et mecum unum bovem furatus fuisti apud N., et inde ad partem tuam duos solidos habuisti, sic deus etc.

Haec sacramenta fiant secundum recor-

[1] quaedam, O.
[1-2] Om., G. In this place L omits from nec to nec.
[3] Ins., ipse, G.
[4] haec, C.
[5] istud, GL.
[6] hoc modo, OGC.
[7] Om., C.
[8] vero, L.
[9-10] Om., L.
[11] Ins., in latrocinio, L.
[12-13] *Sic* MSS.
[14] Ins., et ideo periurus, OC.

124 Four Thirteenth Century Law Tracts

dum coram[1] iusticiariis de[2] Banco et[3] in assisis. Postea fiant in Campo hoc modo, nec ibi distinguendum est quis primo iuret, sed [4]ita dicant[5]: Hoc audis presbiter quod ego non commedi nec bibi nec aliquid feci, nec homo pro me, per quod lex dei debeat remanere, nec potestas diaboli procedere, secundum intellectum meum, [0]sic deus[7] etc. Et alius[8] per eadem verba.

Aliqui forsan dubitant qua ratione[9] defensor primo iurare debeat cum appellator semper[10] primus sit in narratione sua, et in assultum[11] faciendo et in aliis, ad quod sic respondeo: In rei veritate[12] appellator semper[13] debet probare et disrationare[14] dictum suum, sicut manifeste patet in narratione sua in qua ita[15] dicitur post [16]iuris petentis ostensionem.[17] Ita scilicet quod si iste sit talis quod ius meum vult defendere, ego paratus sum probare per corpus cuiusdam[18] liberi hominis mei, [19]qui hoc vidit, etc.[20] Cum igitur ex hoc dicto sequatur quod ille campio debeat probare dictum et ius domini sui, hoc

[1] Om., L. [2] et in, L.
[3] Om., G. [4-5] dicant sic, L.
[6-7] Om., L. [8] aliud, C.
[9] Ins., primo, C. [10] Om., C.
[11] assultu, C. [12] Ins., semper, LG.
[13] Om., OG. [14] defendere, C.
[15] non, C.
[16-17] ius petentis, L. iuramenti petentis ostentionem, G. iuram. petentis ostensionem suam, C.
[18] cuius, C. [19-20] Om., L.

Judicium Essoniorum

nullo modo facere potest nisi primo sciat si defensor illud negare voluerit an non. Unde si appellator primo iuraret,[1] supervacuum esset sacramentum illuis nisi constaret ei[2] de voluntate ipsius[3] defensoris, utrum vellet[4] confiteri vel[5] diffiteri[6] de dicto ipsius appellatoris. Et insuper[7] cum in forma sacramenti appellatoris, sicut superius patet contineatur, quod asserere debeat[8] defensorem esse periurum non[9] haberet[10] locum ista assertio, nisi defensor primo iuraret quod autem ita[11] sit[12] manifeste patet in vadiatione, [13]quia defensor primo dat vadium, ex[14] hoc sequitur quod appellans quantum ad [15]vadiationem sit[16] ad voluntatem defensoris, unde tunc primo dat vadium disrationandi cum defensor iuraverit,[17] quia tunc scit[18] appellator quod iam sacramento[19] negatum est ius domini sui; et hac ratione primo iurat[20] defensor.

Tertium capitulum: de quibus placitis post summonitionem possit esse defalta, et in quibus placitis iacent attachiamenta etc.,

[1] iuret, L.
[2] Om., C.
[3] Om., L.
[4] velit, LG.
[5] Om., G.
[6] Om., G.
[7] infra, G.
[8] debet, L.
[9] nec, G.
[10] habere, C.
[11] ista, G.
[12] Om., C.
[13-16] Om., L.
[14] et, G.
[15-16] vadii dationem sit, G.
[17] iuraverat, O.
[18] sit, O. fit, GC.
[19] Ins., praestito, C.
[20] iuret, O.

126 *Four Thirteenth Century Law Tracts*

[1]et quae fiat mutatio etc.[2] Ad [3]hoc sic[4] respondeo: In omnibus placitis post summonitiones et attachiamenta si reus non comparuerit statim iacet defalta. Sed huiusmodi defaltae diversis modis puniuntur,[5] et secundum brevia originalia iudicandae sunt. Verbi gratia: De brevibus assisae mortis antecessoris et ultimae praesentationis, post primam defaltam iacet resummonitio tantum. Nec aliqua sequetur poena, nisi tantum quod reus si per resummonitionem comparuerit nihil dicere poterit contra assisam, quin capiatur si petens petierit iudicium de defalta. Hoc tamen fallit quandoque sicut per finem factum, per cyrografum, vel per feloniam si[6] [7]obiecta fuerit,[8] vel per consimilem causam.[9] Si autem per resummonitionem non venerit, in hiis duobus brevibus capiantur[10] assisae pro poena[11] illarum duarum defaltarum, salva domino Regi misericordia sua pro contemptu summonitionis. De brevibus de fine facto, de warrantia cartae, de servitiis et consuetudinibus, de debito, de quo iure, de communia pasturae, de homagio, de conventione, et de similibus, post [12] primam defaltam sequntur[13]

[1-2] Om., L.   [2] imitatio, etc., OC.
[3-4] quod, L.   [5] ponuntur, G.
[6] Om., L.   [7-8] obiectam, L.
[8] fuerint, OC.   [9] casum, C.
[10] capiatur, O.   [11] Ins., autem, L. peteria, C.
[12] Opposite this in the margin of C, in same hand as text is, Hic corrigatur per stat. primum Westm.
[13] The usual spelling.

attachiamenta, scilicet primo per vadium et salvos plegios; secundo per vadium et meliores plegios, et tunc sunt primi plegii in misericordia; tertio[1] per corpora eorum, et tunc tam primi quam secundi sunt[2] in misericordia; quarto si non venerint[3] distringantur[4] per terras et catalla sua.[5] Et ita gradatim in hiis casibus aggravare manum decet quousque comparuerint. Hic ordo tamen[6] mutatur in brevibus de fine facto et de intrusione et in aliis in[7] quibus primo[8] brevi originali attachiantur[9] rei; et post primam defaltam statim ponuntur per meliores plegios et postea sicut prius. Item[10] de brevibus quare quis impedit praesentationem et non permittit praesentare idem, solet esse ordo attachiandi quod prius ante consilium Latranense[11] secundum modum eorum qui malitiose[12] impediunt praesentationes. Non dico propter ipsos qui districte[13] computant tempus per consilium curiae et non[14] iudicium. Post primam defaltam attachiantur[15] quandoque[16] rei per corpora eorum primo, postea

[1] In the margin of L., in same hand as the text, is — peccat processus iste per primum stat. Westm.
[2] sint, L.
[3] venerit, G.
[4] distringatur, G.
[5] etc., L.
[6] tantum, GC.
[7] Om., C.
[8] Ins., in, GL.
[9] attachientur, O.
[10] Om., L.
[11] Latronense, C.
[12] malisiose, G.
[13] distincte, C.
[14] Ins., per, G.
[15] attachiatur, L. attachientur, O.
[16] vero, L.

per terras[1] et catalla, et ibi accelerandi sunt dies, scilicet de quindena in quindena.[2] Item de brevibus de recto de advocationibus ecclesiarum, de dote,[3] [4] et aliis[5] ubi fit mentio de ingressu; et generaliter de omnibus brevibus quae ita incipiunt: Praecipe A. quod iuste etc., reddat B. tantam terram vel talem advocationem vel tantam pasturam,[6] etc. Post primam defaltam statim capiatur terra vel advocatio vel pastura in manum domini Regis per visum legalium hominum etc. Et vicecomes scire faciat diem captionis, et summoneat eos[7] quod sint ad certum diem ad[8] respondendum[9] de capitali placito et[10] defalta. Hic ordo generaliter observandus est ubi[11] defalta facta fuerit priusquam reus compareat in curia. Sed si reus[12] comparuerit in curia, licet non responderit, sed[13] visum petierit vel diem prece partium habuerit; tunc capiatur terra[14] etc., per parvum Cape in quo non apponitur per visum legalium hominum, nec dies captionis, nec etiam reus summoneatur,[15] ostensurus de[16] defalta vel ad respondendum de capitali placito; sed tantum ad audiendum iudicium suum.[17]

[1] Ins., eorum, G.
[2] quidenam, C.
[3] dotibus, OGC.
[4] de, GC.
[5] terris, OGC.
[6] pasturae, G.
[7] reos, OC.
[8-9] responsuri, GC.
[10] Ins., de, G.
[11] nisi, CO.
[12] prius, LG.
[13] Ins., si G.
[14] Om., C.
[15] summoniatur, C.
[16] Om., C.
[17] Om., G.

Judicium Essoniorum

Quartum capitulum de iuratoribus, qualiter distringi debeant.[1] Ad quod[2] sic respondeo: Respiciatur ordo de praedictis defaltis in tertio capitulo [3]in quibus[4] attachiamenta iacent, et sequetur idem ordo de iuratoribus attachiandis, et secundum attachiamentum de reo accelerantur[5] ordine tamen observato[6] sccundum quod praedictum[7] est acceleranda sunt attachiamenta de iuratoribus, scilicet per corpora,[8] terras, et catalla, sicut prius.

Quintum capitulum. Quibus modis et quibus placitis denegari debeat visus terrae.

Ad quod sic respondeo: Raro contingit quod visus terrae denegetur,[9] quandoque tamen in brevibus de dote ubi aliqua mulier petit[10] aliquod manerium unde[11] dotata fuit nominatim et non apponat[12] partem.[13] Sed dicat sic in narratione sua: Ego peto manerium de N. ut[14] dotem meam, unde A. quondam vir meus me dotavit nominatim ad ostium ecclesiae die[15] etc. In hoc casu tenens nullum habebit visum ratione partium quae non apponuntur. Si autem peteret manerium cum pertinentiis visus iace-

---

[1] debent, OC.
[2] hoc, C.
[3-4] ubi, C.
[5] accelerentur, L.
[6] servato, LG.
[7] praeceptum, L.
[8] Om., L.
[9] denegatur, CO.
[10] petat, C.
[11] cum, C.
[12] apponitur, L. apponens, G. appon., O.
[13] pertinentiis, LG.
[14] in C.
[15] Om., C.

ret, eo forte quod talia pertinentia ostende-
ret[1] de quibus tenens nullam partem advo-
caret. Item[2] de intrusione terrae. Intrusor
visum habere non debet, quia in quolibet
brevi de intrusione specificatur terra illa unde
talis obiit seisitus, vel alio modo secundum
casum suum, quia in hoc[3] casu non exigit [4]
petens[5] plus vel minus terrae quam illam
partem[6] quae praedicto modo specificatur.
Alia est etiam[7] causa quia intrusio idem est
quod recens spoliatio, unde non debet fieri
brevi de intrusione, nisi recenter facta fuerit
intrusio. Recens appellatur[8] unius anni vel
minoris temporis tenetur enim talis querens
statim accedere[9] ad curiam, scilicet in cras-
tino vel in ipsa[10] ebdomada, nisi rationabli
causa impediatur.

Si autem aliqua[11] mulier petat[12] tertiam
partem alicuius manerii cum pertinentiis in
dotem, et tenens petat visum de illa tertia
parte, non habebit; quia mulier nescit qua-
lem tertiam partem petit, nisi illam quae per
sortem ei[13] accidere[14] possit. Si autem de
tota terra visum petat unde tertia pars ori-
tur habebit. De omnibus autem terris peti-

[1] ostendent, C.
[2] Om., OC.
[3] Om., G.
[4] eregit, C.
[5] Om., O.
[6] terram, G.
[7] Om., C.
[8] appellatus, L.
[9] accidere, L.
[10] Om., L.
[11] alia, G.
[12] petit, G.
[13] sibi, L.
[14] accedere, G.

Judicium Essoniorum

tis per breve de recto, vel per alia brevia de quibus pervenire possit ad duellum vel ad magnam assisam, visus iacet generaliter si petatur; tamen[1] contingit quod visus non petitur ante [2]duelli vadiationem.[3] Et in tali casu post [4]vadia recepta[5] dicatur campionibus quod infra diem sibi datum terram illam videant, et hoc est[6] pro sacramento suo[7] quod facient de visu suo, secundum quod[8] perpendi potest per sacramenta praedicta a campionibus. Alii forsan[9] casus accidere possunt in quibus denegatur visus de quibus ad praesens non recolo. Item plures possunt esse tenentes successive,[10] quorum nullus habebit[11] visum terrae licet petatur, [12]nisi primus tenens.[13] Verbi gratia: A. petit versus B. tantam terram ut ius suum etc. Idem B. antequam [14]petat visum venit et vocat inde ad[15] warrantiam C. qui summonitus venit, et antequam warrantizat vel post petit visum terrae. Queritur utrum habebit visum[16] necne. [17]Ad quod[18] sic respondeo,

---

[1] tum, G. cum, C.
[2-3] duellum vadiatum, C.
[4-5] vadium receptum, G.
[6] Om., O.   [7] Om., L.
[8] Here G. inserts what may be read either as the letter J. or the abbreviation for id est.
[9] forsitan, G.   [10] successione, G.
[11] habeat, L.   [12-13] Om., L.
[14] Omit to following antequam, L.
[15] Om., G.   [16] Ins., terrae, C.
[17-18] Om., G.   [18] hoc, L.

quod[1] nullum habebit visum quia tenetur respondere ad cartam suam vel ad cartas[2] antecessorum suorum, et in carta specificatur[3] terra illa.[4] Et etiam[5] si cartam non haberet teneretur[6] scire quam terram tenet de eo, et de qua terra[7] recepit homagium unde eum[8] warrantizaverit, petens petit eandem terram quam warrantizavit; et ideo non iacet visus. Et sic[9] respondendum[10] est de[11] decem tenentibus si de warranto in warrantum vocati fuerint[12] tenentes. Habebunt tamen[13] campiones secundum quod praedictum est visum, si ad duellum pervenerint[14] vel ad recognitionem magnae assisae.

Sextum capitulum. In quibus placitis per[15] brevia de Praecipe in quibus narratio inseritur duo solent esse essonia. Diversa sunt brevia quae vocantur Praecipe. Quaedam vero in quibus[16] fit mentio de ingressu ad firmam, vel ad terminum, vel de nova disseisina facta ab aliis, et huiusmodi. Quaedam vero quae simpliciter vocantur Praecipe quae idem sunt quod brevia de

[1] quia, L. omit respondeo quia, G.
[2] cartam, C.
[3] specificetur, O. Ins., sic, G.
[4] Ins., etc., G.
[5] Om., G.
[6] tenetur, G.
[7] Om., G.
[8] cum, OGC.
[9] Om., G.
[10] dicendum, OC.
[11] Om., G.
[12] Ins., per, G.
[13] Om., L.
[14] venerit, L.
[15] Om., OC.
[16] primis, OC.

recto. Et in illis[1] brevibus de recto generaliter iacent duo essonia, unum scilicet de malo veniendi, et aliud de malo lecti post illam mutationem.[2] Verbi[3] gratia: esto quod petens petat terram illam de siesina avi sui, et dicat omnia verba pertinentia ad duellum, et postea adiciat quod avus suus obiit inde seisitus ut de feodo et iure, et quod idem tenens non habet ingressum[4] in terram illam nisi[5] per hoc quod intrusit se in terram illam post mortem avi sui dum idem[6] petens vel pater suus fuit infra aetatem, vel alio modo in quam non habet ingressum, nisi per hoc quod posuit se in terram illam ut capitalis dominus post mortem ipsius[7] avi sui. Si autem tenens responderit ad [8]illum ingressum et ad[9] seisinam die quo obiit, et inde per iudicium curiae fiat iurata de illis articulis, tunc statim[10] cassabitur essonium de malo lecti. Eodem modo poterit impediri per finem factum inter antecessores eorum si finis obiciatur, et aliis modis consimilibus, de quibus ad praesens non recolo. Econverso de brevibus de ingressu tantum unum iacet essonium de malo veniendi, et aliquando accidit quod essonium de malo lecti ut hic. Esto quod tam petens quam tenens

[1] aliis, G.
[2] imitationem, GC.
[3] ex, G.
[4] Ins., nisi per hoc quod posuit se, G.
[5] vel, G.
[6] ipse, C.
[7] Om., G.
[8-9] illam, G.
[10] Om., C.

omittant[1] loqui de ingressu in[2] narratione sua, sed procedant de iure et proprietate, et inde ut saepius contingit, emergunt magnae assisae vel duellum vel[3] forma alterius iudicii ingressu praetermisso, quod raro accidit nisi de[4] consensu partium. Statim post diem datum partibus poterit tenens essoniari de malo veniendi, et[5] postea[6] de malo lecti; et hoc provenit de narratione iuris et non de brevi originali. Et hoc[7] videtur contrarium prius dicto [8]quia dicitur quod[9] per brevia originalia iudicanda sunt essonia, et ab eis procedunt ad quod poterit responderi, quod quam diu breve originale locum tenuit tantum unum processit essonium de malo veniendi. Sed[10] breve illud[11] iam per narrationem et[12] consensum partium locum non tenet; nec secundum illud procedendum est in loquela, immo tantum de iure. Et ita [13]de brevi[14] de ingressu iam[15] fit breve de recto quodam modo per quod tenens recuperare poterit ad essonium illud de malo lecti.[16]

Septimum capitulum. Utrum intrusio terrae quam amittat[17] intrusor per assisam

[1] omittat, C.
[2] de, C.
[3] in, L. vel in, C.
[4] Om., G.
[5] Omit to following et, C.
[6] post, LG.
[7] Om., G.
[8-9] quod dicitur, G.
[10] si, G.
[11] istud, G.
[12] in, L.
[13-14] breve, G.
[15] tam, G.
[16] veniendi, C.
[17] amittit, LG.

Judicium Essoniorum

novae disseisinae impedit recognitionem assisae mortis antecessoris. Ad quod sic respondeo: In primis distinguenden est qualis sit et quomodo facta, quia si aliquis[1] ante mortem patris sui agat in remotis[2] partibus, et antequam rumor de morte patris ad ipsum pervenerit,[3] occupata fuerit terra patris ab aliquo ratione testamenti[4] vel alio modo, et postea venerit per unum mensem aut per duos menses,[5] et ponat se in eandem[6] terram per se, et teneat[7] per octo[8] dies aut[9] quindecim, et postea amoveatur per assisam novae disseisinae, non videtur quod pro tanta intrusione debeat assisa mortis antecessoris impediri. Quia cum talis sit[10] ratio huiusmodi impedimenti, quod siquis tenuerit terram post mortem antecessoris sui de cuius morte profert assisam, dum tamen ita tenuerit quod poterit eam dedisse et transtulisse et pro voluntate sua inde[11] disposuisse, unde iniquum esset si post donationem illam vel alienationem posset terram illam recuperare per assisam mortis antecessoris. Praesertim cum certe constat[12] quod omnes articuli in brevi illo contenti veri sint, quia antecessor eius obiit inde seisitus ut de[13]

[1] quis, OC.
[2] remotibus, L.
[3] provenerit, L.
[4] testimenti, OG.
[5] dies, C.
[6] eadem, G.
[7] tenet, C.
[8] VIIII, L.
[9] vel, L. an, C.
[10] fit, O.
[11] Om. C.
[12] constet, LG.
[13] in, L.

feodo et in[1] dominico suo; obiit etiam[2] post terminum, et petens est propinquior heres eius.[3] Et ita omnia contenta in brevi vera sunt.[4] Sed tamen quod idem heres petens post mortem eiusdem antecessoris sui fuit in pacifica seisina, et inde disposuit pro voluntate sua impedit assisam illam[5] quominus procedat. Alioquin omnia dona de terris facta per breve illud possent irritari et adnichilari. Cum igitur per praedictam parvam intrusionem de quindena vel eo circiter[6] nulla fiat[7] datio vel mutatio,[8] sicut manifeste patet per hoc quod primus[9] tenens, qui melius [10]debet vocari[11] intrusor, in praedicto casu recuperet seisinam suam versus ipsum heredem, videtur et intelligo quod intrusio illa non impedit assisam illam[12]; cum quia[13] parva fuit tum quia ea[14] durante, nulla fuit datio vel mutatio[15] de eadem terra.

Octavum capitulum. Quae [16]responsiones et[17] exceptiones cassant breve vel processum brevis, et quae[18] inperpetuum totam causam perimunt, sive ex parte actoris sive ex parte rei. Memorandum de brevibus de recto in

[1] Om., O.
[2] enim, L.
[3] Om., C.
[4] sint, OC.
[5] Om., G.
[6] circa, G.
[7] fit, O, fuit, C.
[8] imitatio, GC.
[9] prius, G.
[10-11] vocatur, L.
[12] Om., O.
[13] Omit to following quia, G.
[14] Om., OC. illa, G.
[15] imitatio, C.
[16-17] Om., L.
[18] quaedam, L.

Judicium Essoniorum

quibus plures sint[1] tenentes divisim, petens oportet[2] contra singulos[3] tenentes singulos campiones habere, et quilibet tenens per suum proprium campionem defendere. Ad cuius cartam debetur warrantizatio etc. Sciendum quod ad omnes cartas de simplici donatione debetur warrantizatio, et tenetur donator et eius heres warrantizare, si ad horam vocati fuerint ad warrantiam, nisi forte in feoffamento aliquid ponatur huic[4] contrarium. Et licet haec clausula:[5] Ego et heredes mei warrantizabimus, non apponatur, nihilominus tenebitur donator warrantizare, sicut contingit inter A. et B. de quadam terra unde duellum fuit[6] arramatum et vadiatum. Aliquando autem contingit quod ubi donator debilis est, nihil habens unde warrantizet, feoffatus adquiret[7] sibi confirmationem a capitali domino per cartam[8] suam, in qua apponitur[9] quod capitalis dominus et heredes sui warrantizabunt etc. In hoc[10] casu oportebit[11] capitalem dominum warrantizare si vocatus fuerit ad warrantiam, licet non nominetur donator hac tamen[12] ratione, quia ad hoc stulte se obli-

---

[1] sunt, LG.   [2] Ins., quod, L.
[3] Omit to following singulos, C.   [4] Om., G.
[5] Ins., non apponatur, (and omit in next line) OGC.
[6] fuerit, OG.
[7] adquirit, L. adquierit, G.
[8] confirmationem suam scilicet per cartam, C.
[9] ponitur, G.   [10] Ins., autem, OC.
[11] oportet, L.   [12] Om., G.

gavit. Quandoque[1] autem contingit quod aliquis vocatur ad warrantiam ratione homagii et servitii, unde si vocatus cognoverit in [2]curia quod ceperit[3] homagium et servitium vocantis de terra petita, oportebit ipsum per iudicium curiae warrantizare. Et in[4] hoc casu necesse est quod implacitatus discrete vocet ad warrantiam, ita quod certus sit de fidelitate domini sui quod velit ei warrantizare vel confiteri praemissa. Sciendum quod quantum ad[5] [6]essonia habenda[7] sunt[8] dilationes, et eadem iudicia[9] coram iusticiariis in itinere sicut in Banco, quia essonium non potest dari dies de die in diem, nisi ad audiendum iudicium suum,[10] utrum essonium iacet vel non. Sed ad habendum warrantum suum debet dari dies de[11] quindena. Si tamen implacitatus comparuerit bene licebit iusticiariis dare ei diem, ut de die in diem compareat praeter dilationem; et hoc [12]faciendum est[13] secundum discretionem et dispositionem iusticiariorum, a quibus consideranda sunt tempora et tenementorum loca.

Quae[14] exceptiones etc.[15] Sciendum est quod plures exceptiones perimunt totam cau-

[1] quando, C.   [2-4] Om., OC.
[3] cepit, G.   [5] Om., C.
[6-7] L. has a non-extendible abbreviation.
[8] Ins., ead, G.   [9] essonia, L.
[10] Ins., non, G.   [11] in, G.
[12-13] Insert after discretionem, OC. fit, G.
[14-15] A rubric in some MSS.

Judicium Essoniorum

sam, quaedam processum et non breve, quaedam breve et non processum. Totam causam perimunt sicut finis duelli, finis factus[1] per cyrograffum, parentela, felonia, et huiusmodi. Finis duelli, ut siquis petat terram versus aliquem qui obiciat quod terram illam disrationavit in curia domini Regis, vel alibi per duellum contra antecessorem[2] petentis, vel contra aliquem extraneum sine clamio quod idem petens[3] vel antecessores sui apposuerunt. Eodem modo si dicat quod illam recuperavit per recognitionem magnae assisae quod similiter[4] appellatur finis duelli. De fine per cyrograffum satis est notorium. Parentela, ut siquis petat [5]versus aliquem qui exierit[6] de fratre primogenito, vel huiusmodi[7] parente,[8] aliquam terram ut descendentem[9] ei ab antecessoribus suis, et implacitatus ostendere possit, quod propinquior est eidem antecessori per quem terra exigitur quam idem petens.[10] Et hoc intelligendum est ubi non loquitur de conventione. Felonia, [11]ut siquis antecessor petentis terram amiserit petitam[12] per feloniam in[13] casu convictus de felonia,[14] non solum

[1] facta, OC.
[2] antecessores, L.
[3] Om., G.
[4] simpliciter, L.
[5-6] Om., G.
[7] eius, LG.
[8] parentele, C.
[9] decentem, G.
[10] tenens, G. petens petit, C.
[11] aut, C.
[11-14] Om., L.
[12] Om., G.
[13] Ins., hoc, G.

140 *Four Thirteenth Century Law Tracts*

excludit[1] heredes suos, sed [2]etiam heredum[3] suorum, ab omni exactione[4] terrarum sic amissarum. Haec autem omnia et forte quaedam alia quae ex inproviso memoriae meae non occurunt,[5] perimunt[6] causam,[7] processum, et[8] breve. Processum et non breve etc. Si[9] aliquis[10] venerit coram iusticiariis per Pone, et capitalis dominus petat curiam suam, et ostendere possit[11] quod numquam defecit ei de iusticia, vel quod idem tenens non probavit defaltam curiae suae, idem capitalis dominus rehabebit curiam suam. Et ita[12] quicquid idem petens fecerit[13] in comitatu et in curia Regis pro nihilo habebitur, remanebit tamen breve originale integrum, et per idem breve placitabit si voluerit. Eodem modo post defaltam in curia etc., si tenens poterit dedicere summonitionem. Breve et processum etc. Si interrogatur[14] plus terrae in breve quam tenens teneat. Et[15] si error fiat[16] in nominibus terrarum[17] seu villarum, vel[18] petentium vel tenentium. Si petens fecerit defaltam haec omnia cassant breve et processum.

[1] Ins. omnes, L.
[2-3] omnes heredes heredum, LG.
[4] actione, L.
[5] concurrant, O, currant, C.
[6] Ins., totam, C.
[7] Ins., et, C.
[8] cum breve, C.
[9] sic si, G.
[10] quis, G.
[11] posset, O.
[12] ideo, C.
[13] fecit, G.
[14] interogetur, G.
[15] Om., OGC.
[16] sit, L.
[17] personarum, C.
[18] seu, G.

Judicium Essoniorum

Quae placita possunt iusticiarii placitare. Sciendum quod [1]plura placita[2] possunt placitari [3]sine brevi[4], scilicet omnia illa[5] quae procedunt ex capitulis sibi commissis, et praeterea de captionibus averiorum, et de aliis de quibus non recolo. Quid faciendum est de[6] illis? Sciendum quod omnes[7] amerciari debent per sacramentum iuratorum de[8] hundredis, sicut etiam[9] alii[10] qui inciderint[11] in misericordiam coram iusticiariis itinerantibus. De processu vero et ordine etc. Iusticiarii debent primo die[12] adventus sui recipere essonia[13] de communi summonitione et essonia de placitis terrae per se, et omnia illa[14] iudicare[15] et reddere. Et postea, per sacramentum servientium hundredorum et duorum militum ad hoc electorum de singulis hundredis, eligere duodecim iuratores, et de ipsis electis sacramentum capere; et postea capitula legere, et eis committere, et eis certum diem dare de veredicto suo proferendo; et postea capere assisam novae disseisinae, et eligere recognitores magnarum assisarum per brevia[16] inde[17] vicecomiti transmissa; et illis peractis capiendae sunt assisae

[1-2] placita placitata, G.
[3-4] Om., OC.
[5] ista, G.
[6] Ins., aliis vel de, G.
[7] homines, G.
[8] Om., C.
[9] Om., L. et, GC.
[10] aliqui, C.
[11] incidunt, C.
[12] Om. C.
[13] Om., G.
[14] alia, O.
[15] adiudicare, C.
[16] brevi, C.
[17] Om., C.

mortis antecessoris. Ita quod quam cito veredicta prompta sunt[1] statim capiantur [2]et teneantur[3] placita coronae, propter multitudinem gentium per se; et sic procedere debent ad[4] alia placita iuxta eorum discretionem.

[1] fuit, G.
[2-3] Om., L.
[4] Om., C.

MODUS COMPONENDI BREVIA.

Cum sit necessarium conquerentibus in curia domini Regis ut sibi in suis casibus exhibeatur remedium congruum et festinum, ad instantiam quorundam sociorum subscripta. Ut sciatur quod breve et in quo casu, tam in actione reali quam personali, ubi minores maioribus indigeant[1] documentum, dare debeam non modo quo debui sed quod scivi componere dignum duxi. Videndum est primo si actio conquerentis sit realis vel personalis, aut si utramque tangat naturam tam actionem personalem quam realem. Et secundum hoc intellegendum[2] est breve de placito terrae, vel transgressionis, vel quod utramque tangat naturam. Omne igitur placitum quod deducitur in curiam domini Regis generaliter dicitur placitum terrae vel transgressionis. Istud vero placitum in quo exit breve de iudicio[3] quod vocatur magnum Cape vel parvum propter defaltam tenentis, ad[4] capiendum tenementum in manum[5] domini Regis, dicitur placitum terrae. Istud vero placitum in quo exit breve de iudico de magna districtione, ut defendens distringatur per terras et catalla, ut veniat ad res-

[1] indigiant, B.   [2] exhibendum, OC.
[3] Omit to following iudicio, C.
[4] vel, B.   [5] manu, O.

pondendum, dicitur placitum transgressionis. Verumtámen[1] quaedam eorum brevium quae placitantur per districtiones, ut[2] de consuetudinibus et servitiis, de medio, et huiusmodi,[3] tangunt utramque naturam; quia sicut[4] tam ratione tenementorum quam personarum iniuriam inferentium.[5] Audito casu conquerentis videatur si actio sit realis, et[6] in ea detur competens remedium per breve de placito terrae. Et secundum quod actio fuerit realis diversa diversificanda sunt[7] forma brevis. Et istud concordat cum suo casu; nec per aliquam exceptionem valeat cassari.

In omni casu de placito terrae ubi aliquis petit tenementum aliquod de seisina propria, vel per descensum hereditarium, potest fieri breve de recto patens, quod est omnium aliorum in sua natura supremum. Sed propter istius brevis[8] de recto nimiam[9] dilationem et manifesta pericula sunt evitanda. In multis casibus possunt fieri per alia brevia remedia celeriora, ad cuius remedia exhibenda videndum est quot et quibus modis petens poterit petere tenementum aliquod in dominico, et utrum narrare voluerit de seisina propria aut de seisina antecessorum

[1] verumtame, B.
[2] et, B.
[3] Ins., quae, C.
[4] fiunt, C.
[5] inserentium, C.
[6] ac, C.
[7] est, O.
[8] breve, B.
[9] iniuriam, B.

Modus Componendi Brevia

suorum cuius heres ipse est per descensum hereditarium, aut de[1] tenemento quod ad ipsum[2] reverti debet [3]per formam[4] donatoris alicuius, aut tanquam eschaeta sua. Et si petens de propria seisina narrare voluerit, videndum est utrum ipse disseisitus fuit in ipso tenemento, aut quod ipse alicui gratis dimisit. Si autem disseisitus fuerit[5], detur ei breve de nova disseisina versus disseisitorem et versus tenentem. Si alius sit tenens quam ipse disseisitor detur ei breve de ingressu. Si autem disseisitor mortuus fuerit, et heres eius vel aliquis per ipsum disseisitorem feoffatus de eodem tenemento sit tenens, detur disseisito breve de ingressu super novam disseisinam fundatum, de gradibus faciens mentionem, vel sine mentione graduum, secundum industriam componentis, ut[6] breve debito modo cum suo casu concordet.[7] Si autem petens petat tenementum quod alicui gratis dimisit hoc potest esse dupliciter, aut illud videlicet quod dimisit alicui ad terminum qui praeteriit, vel illud quod alicui dedit in feodo. Si autem petit[8] tenementum quod alicui dimisit[9] ad terminum decem annorum, vel vitae alicuius, post terminum elapsum, detur petenti breve de

[1] Om., C. [2] ipsi, B.
[3-4] pro forma, B. [5] fuit, B.
[6] et, B. [7] concordat, C.
[8] petat, B. [9] dedit, C.

146 Four Thirteenth Century Law Tracts

ingressu ad terminum qui praeteriit cum casu habente concordantiam. Si vero alicui[1] petit[2] tenementum quod dedit in feodo, videatur si tempore donationis petens fuit plenae aetatis, bonae memoriae, et extra prisonam. Et sic non competit ei[3] acto per aliquod breve, ex quo donum illud in tali statu ratificavit. Et si tempore donationis fuit infra aetatem, detur sibi breve de ingressu iuxta casum suum formatum, prout patet in registro cum non fuerit plenae aetatis. De tenemento autem quod petens dedit dum non fuit compos mentis suae, detur sibi breve de ingressu iam recuperata bona[4] memoria, secundum casum petentis ordinatum. Si vero inprisonatus fuerit tempore donationis, ipso deliberato detur incontinenti breve de nova disseisina versus ipsum feoffamentum, per cuius vim ipse detentus fuit in prisona; et cartam de feoffamento fieri fecit.

Femina quaedam[5] narrare debet de seisina propria petendo illud tenementum[6] in dominico per breve de ingressu iuxta casum suum signatum,[7] ut ius et hereditatem suam, aut dotem suam, aut maritagium suum de primo viro suo, quod vel quam vir suus

[1] aliquis, O.
[2] competit, B.
[3] sibi, B.
[4] Om., C.
[5] quidem, B.
[6] Om., BO.
[7] formatum, C.

Modus Componendi Brevia

alienavit vel aliter[1] dedit, cui ipsa [2]in vita[3] contradicere non potuit.[4]

Item[5] si aliquis dederit[6] terram vel tenementum alicui pro certo servitio annuatim sibi in mediate faciendo, et ille feoffatus, vel heres eius, aut[7] aliquis qui de ipso donatore tenuerit, de felonia convictus fuerit, ob quam causam decollatus fuerit vel regnum Angliae abiuraverit, post annum et diem detur donatori vel eius heredi breve de eschaeta. Et illud idem breve detur sibi adpetendum illud tenementum in dominicum quod alicui bastardo dedit, qui sine herede de se obiit.

Determinata iam[8] via in[9] generali per quam petens poterit petere tenementum aliquod in dominico de seisina sua narrando. Restat videre quot[10] et quibus modis poterit petere[11] tenementum de seisina antecessoris sui per descentionem[12] hereditariam cuius heres ipse est. Unde videndum est utrum ipse antecessor obiit seisitus in dominico suo ut de feodo de tenemento petito, aut inde disseisitus fuerit, aut quo[13] modo ipse antecessor alicui gratis dismisit. Et si modo praedicto obiit seisitus, videatur quo gradu consanguinitatis ipse antecessor attingat pe-

[1] alicui, CO.
[2-3] sua, C.
[4] Ins., etc., OC.
[5] Om., CO.
[6] dedit, B.
[7] vel, C.
[8] tam, B.
[9] Om., B.
[10] qui, C.
[11] Om., B.
[12] descensum, O.
[13] quo quo, C.

tentem; et si de morte patris vel matris, fratris vel[1] sororis, avunculi vel amitae, fiat petenti breve de morte antecessoris. Et si vero[2] plures participes eiusdem hereditatis petant aliquod tenementum communis antecessoris, et antecessor eorum fuerat pater vel mater, frater vel soror, unus [3]vel plures,[4] et in remotiori gradu respectu aliorum, fiat pro eisdem participibus breve de morte antecessoris iuxta formam statuti Gloucestriae. De seisina avi vel aviae, proavi vel proaviae, fiat breve de avo vel[5] avia, proavo vel proavia, de tenemento unde talis antecessor obiit seisitus in dominico suo ut de feodo post tempus limitationis brevium. De seisina quidam[6] consanguinei vel consanguineae qui modo praedicto obiit seisitus, detur petenti breve de consanguinitate, prout vocatur in registro in quadam regula ante breve istud contenta. Si vero antecessor illius[7] petentis de aliquo tenemento fuerit disseisitus,[8] detur heredi petentis breve de ingressu super novam disseisinam fundatum versus tenentem; ita quod fiat debita mentio graduum in quibuscumque casibus ubi fieri poterit. Et si antecessor petentis alicui dimiserit aliquod tenementum, videndum est utrum illa dimissio facta fuerit ad terminum

[1] Om., C.
[2] versus, C.
[3-4] plurium, C.
[4] plurium, O.
[5] Ins., de, C.
[6] quidem, O.
[7] illus, O.
[8] seisitus, C.

Modus Componendi Brevia 149

vel in feodo. Et de tenemento ad terminum dimisso, elapso termino, fiat pro herede breve de ingressu quod dicitur ad terminum qui praeteriit, observata semper graduum mentione.

Si autem antecessor[1] alicuius tenementum aliquod alicui dimiserit[2] vel donaverit[3] in feodo, videatur in quo statu fuerit tempore donationis, videlicet utrum fuerit infra aetatem, aut non compos mentis suae. Et est utraque donatio revocanda per breve de ingressu, secundum utrumque casum pro herede antecessoris illius formatum, cuius modi donationis revocatio in aliis casibus fieri non poterit de hereditate donatoris per suum heredem.

Si autem mulier quae tenementum aliquod tenuerit in dotem alicui donaverit, ipsa vivente, detur remedium heredi; et debet fieri reversio dotis illius iuxta formam statuti Gloucestriae. Et de huiusmodi tenemento quod mulier ante confectionem illius statuti alienaverit, fiat breve de ingressu pro herede ipso in suis gradibus formatum. Si autem aliquis intruserit se in aliquibus tenementis post mortem mulieris, quae illa tenuit in dotem vel aliter ad terminum vitae, detur heredi breve de intrusione versus tenentem;

---

[1] antecessores, C.
[2] dimiserint, C.
[3] donaverint, C.

ita quod semper fiat mentio graduum ubi fieri poterit. Et in casibus ubi mentio graduum fieri non poterit, fiat breve de huiusmodi ingressu post intrusionem, sicut in omnibus[1] aliis brevibus de ingressu ubi non poterit fieri mentio de gradibus dicitur post disseisinam vel post dimissionem. Pro viris religiosis, et pro abbatibus, prioribus, magistris, hospitellariis, ubi tenementum aliquod sit ius ecclesiarum suarum,[2] fiant brevia super novam disseisinam fundata.[3] Et ut de termino qui[4] praeteriit et alia brevia sibi congrua; tam in omnibus ubi narrant de seisina propria quam praedecessorum suorum; quia sicut [5]ius hereditatis[6] descendit[7] ab antecessoribus in heredem, sic generaliter descendit ius cuiuscumque ecclesiae, de praedecessore in successoribus.[8] De tenementis quidem alienatis per abbates, priores, aut eorum ballivos, sine assensu sui capituli, fiant pro eorum successoribus brevia de ingressu debito modo in suis casibus formata.

Accidit aliquando quod plures heredes, tam fratres de aliquibus tenementiis quam sorores, fiunt participes unius hereditatis de

[1] Om., B.
[2] eorundem, C.
[3] fundatam, C. fundant, B.
[4] Om., B.
[5-6] in hereditar., B.
[7] Omit to following descendit, B. descenderit, C.
[8] praedecessorem, C.

Modus Componendi Brevia

quibus aliqui deforciant aliis rationabilem partem suam. Et in tali casu pro participibus nullam partem habentibus, fiat breve de rationabili parte quod dicitur Nuper obiit, si eorum antecessor obiit[1] a tempore quo currit illud breve qui terminus patet in magno statuto domini Regis Edwardi filii Regis Henrici. Si antecessor eorum participum[2] decesserit[3] ante terminum illum, fiat breve de recto de rationabili parte pro illis petentibus; et illud idem breve pro eisdem participibus[4] partem habentibus et partem non, de sua hereditate, licet eorum antecessor obiit post terminum praenominatum.

Item per breve de recto patens potest dominus alicuius feodi petere tenementum illud in dominico, quod tenens eius de eo tenuit pro homagio et servitio versus ipsum tenentem. Quod quidem tenementum ipse tenens[5] in curia domini Regis coram iusticiariis qui inde portant recordum de domino suo tenere dedixit, propter eiusdem tenentis ingratitudinem qui domino suo homagium et servitium sibi debitum malitiose subtrahere proposuit.

Solum autem fit remedium per breve de utrum [6]pro persona[7] ecclesiarum quae per suos praedecessores ab eisdem fuerint alienata.

[1] Om., C.
[2] partium, B.
[3] decessit, O.
[4] partibus, B.
[5] petens, C.
[6-7] per personam, B.

152 Four Thirteenth Century Law Tracts

Vidua vero[1] post mortem viri sui, secundum communem legem Angliae, petere poterit[2] in dotem suam tertiam partem totius tenementi quod vir suus tenuit in feodo die quo ipsam[3] desponsavit, vel unquam postea; nisi contingat ipsam de minori tenemento dotari. Et est generaliter intellegendum quod per quatuor brevia possunt mulieres petere dotes suas; videlicet[4] per breve de recto[5] de dote,[6] per breve de dote unde nihil habet, per breve de certa dote per virum de proprio tenemento assignato, et per breve de certa dote assignata[7] ad hostium ecclesiae quod dicitur de assensu patris, videlicet quando filius et heres ad hostium ecclesiae dotat uxorem suam de certo tenemento patris sui, ipso patre [8]vivente et[9] praesente ad hoc voluntatem suam et assensum praebente. In quibus autem casibus sunt brevia dc dote de recto unde nihil habet, in primis statutis Regis Edwardi filii Regis Henrici sufficienter declaratum est.

In maneriis quidem de antiquo dominico coronae Angliae fit[10] in omni casu pro tenentibus huiusmodi maneriorum parvum breve de recto clausum, ad petenda tenementa illa in dominco, ubi in aliquo modo ius vendi-

[1] Om., C.   [2] potuit, B.
[3] eam, C.   [4] Om., B.
[5] Ins., videlicet, B.
[6] Omit to following dote, B.   [7] Om., C.
[8-9] Om., CO.   [10] sit, O.

cant[1] in eisdem tenementis quae tenentur
secundum eonsuetudinem maneriorum. Triplex enim[2] fit remedium ad petendam advocationem alicuius ecclesiae,[3] integrae, vel
partis eiusdem ecclesiae, in qua advocatione
ipse petens ius clamat habere; videlicet per
breve de recto de advocatione ecclesiae patens vel clausum, ubi ipse petens narrare
debet,[4] vel poterit,[5] de longinqua seisina, ut
de feodo et iure ab antecessore suo, cuius
heres ipse est, [6]sibi descendendo.[7] Et per
breve Quare impedit, quod fieri poterit in
casu ubi petens ius clamat in advocatione
alicuius ecclesiae, eo quod tenementum illud
ad quod pertinet ipsa advocatio[8] de quo[9]
quidem tenemento aliquis ipsum feoffavit,
vel antecessorem suum cuius heres ipse[10] est,
una cum advocatione eiusdem ecclesiae, licet
ipse vel antecessor[11] eius ad ecclesiam illam
non praesentaverit.[12] Et per breve ultimae
praesentationis, quod fieri potest ubi aliquis
clamat advocationem alicuius ecclesiae ad
donationem suam pertinere; eo quod ipse
vel antecessor eius cuius heres ipse est,[13] ultimam personam, per cuius mortem illa ec-

---

[1] uxori dedicant, B.   [2] Om., C.
[3] Omit to following ecclesiae, B.   [4-5] Om., C.
[6-7] sic dicendum, B. sibi dcendendo, C.
[8] donatio, B.   [9] Om., B.
[10] Om., O.   [11] antecessores, O.
[12] praesentaverint, OC.   [13] Om., O.

clesia sit[1] vacans, ad eandem ecclesiam praesentavit.

Cum autem falsum iudicium datum fuerit[2] in aliqua loquela in comitatu vel in curia alicuius deducta, licitum est parti cui illa est iniuria procurare recordum illius loquelae, per breve de falso iudicio poni coram iusticiariis de Banco vel in itinere. Et ibi secundum legem terrae iudicium illum determinare[3] per discretionem iusticiariorum, qui partibus coram eis iustitiae[4] complementum exhibebunt.[5]

Si aliquis districtionem fecerit per averia vel catalla alicuius, et contra vadium et plegios detinuerit,[6] ille cuius averia vel catalla sunt potest facere ea[7] replegiari per breve domini Regis, et in comitatu vel coram iusticiariis de Banco, vel in itinere, loquelam illam[8] per[9] breve quod vocatur Pone coram eis positam; utrum huiusmodi captio sive detentio fiet[10] iusta vel iniusta determinari. Multae enim et variae assignationes possunt assignari in hoc placito, ad affirmandam districtionem quam aliquis fecerit super aliquem esse iustam et rationabilem. Quilibet autem dominus potest advocare districtionem quam faciat super tenen-

[1] fit, B. [2] fuerat, B.
[3] terminare, B. [4] institem, B.
[5] adhibebunt, C. [6] detinerint, B.
[7] Om., C. [8] Om., B.
[9] pro, B. [10] sit, C.

Modus Componendi Brevia

tem suum pro amerciamentis levandis per considerationem curiae suae sibi adiudicatis,[1] et etiam pro aliis iustis[2] executionibus iudicorum suae curiae faciendis, et etiam districtionem factam per averia alicuius in dampno suo; ut in bladis, pasturis suis, et[3] aliis locis ut in separabilibus,[4] et etiam facta[5] in feodo suo pro arreragiis et servitiis suis, de quo fuit seisitus per manum[6] tenentis,[7] vel etiam si continuo post mortem antecessoris sui cuius heres ipse est pro servito sibi debito districtionem illam in feodo suo fecerit, licet de eodem seisitus non extiterit. Et si dominus alicuius distringat tenentem suum pro servitiis inde[8] debitis, exigendo ab eo consuetudines et plura servitia quam ipse tenens et antecessores sui cuius heres ipse est pro tenementis suis facere solebant domino suo, vel eius antecessori cuius heres ipse est, ipse tenens duplex habet remedium in tali casu versus dominum suum, videlicet per praedictum breve districtionem illam facere replegiari, et huiusmodi petitiones iniustas ut praedictum est determinari, vel per breve quod dicitur Prohibemus tibi ne iniuste vexes, etc., quod quidem breve per duellum vel per magnam assisam saepius

---

[1] adiudicant, B.
[2] Om., C.
[3] Ins., in, O.
[4] suo separali, O.
[5] factam, O.
[6] manus, B.
[7] serientis, B.
[8] in, OC.

contingit determinari; ob quod[1] magis[2] periculum imineret in hoc placito quam per viam praedictam.

Item si aliquis feoffaverit aliquem de aliquo tenemento pro quodam[3] servitio sibi annuatim sic faciendo, pro quo ipse feoffator per cartam suam acquietabit feoffatum, exigendo ab eo servitia sibi debita de eodem tenemento, vel etiam de aliis tenementis eisudem feodi, ipse feoffatus in hoc casu per breve domini Regis faciat averia sua replegiari; et loquela illa inter ipsum et capitalem dominum coram iusticiariis pendente, potest impetrare breve de medio versus feoffatorem suum de quo tenet tenementum illud; ut ipsum acquietet de servitiis quae contra tenorem cartae suae ab eo exiguntur.

Si autem capitalis dominus non potest distringere tenentem suum pro homagiis et aliis servitiis sibi debitis de feodo suo de quibus seisitus[4] fuerit, fiat pro ipso domino breve de consuetudinibus et servitiis, ut in redditibus arreragiis et aliis, quod[5] quidem breve dicitur de possessione, et[6] quod ipse dominus de seisina[7] propria narrabit et dampna sua una cum arreragiis recuperabit. Et in casibus ubi oportet ipsum dominum de seisina antecessoris sui, cuius heres ipse est,

[1] quam, C.
[2] maius, O.
[3] quod, O.
[4] feofatus, C.
[5] quae, C.
[6] eo, C.
[7] Ins., sua, O.

Modus Componendi Brevia

de huiusmodi servitiis per descensum[1] hereditarium narrare, fiat pro eodem breve de recto de consuetudinibus et servitiis, in quo non debet fieri mentio de redditibus et[2] arreragiis, quia ipsa verba seisinam petentis semper supponunt. Cum autem petat evidenter tam per regulas in registro contentas quam per formam plurimorum brevium quae placitantur per districtiones, in quibus casibus ipsa brevia [3]dari debent[4]; et[5] de eorum compositione in suis casibus non est necesse ut aliquid[6] in praesenti doctrina tangatur; quia habito pleno intellectu[7] brevium communium et casuum eorundem brevium habetur plenarie[8] cognitio.

In quibus autem casibus componuntur aliqua brevia quae iuxta tenorem statutorum sunt formata ista statuta in se sufficienter declarant[9]; sed quia pastura multipliciter poterit haberi de ipsius divisione[10] est aliquid dicendum. Pastura quidem[11] alia communis alia separabilis.[12] De pastura separabili in qua quis habet ius feodi[13] et liberum tenementum, possunt omnia remedia quae in praedictus casibis de terris et tenementis

---

[1] decensum, BC.   [2] Om., BC.
[3-4] determinari debent et dari, C.
[5] Om., C.   [6] aliquis, C.
[7] intellectum, O.   [8] pleniarie, O.
[9] declaratur, O. declarunt, B.
[10] dimissione, C.   [11] siquidem, C.
[12] separalis, O.   [13] feodum, C.

assignantur[1] assignari. Pastura quidem communis potest esse dupliciter vel quia pertinet ad liberum tenementum alicuius, vel aliquis clamat ea[2] ratione alicuius feoffamenti ad certum numerum averiorum, non autem ratione alicuius tenementi ad quod ipsa pastura pertinet. Et potest huiusmodi pastura ad certum numerum averiorum dari alicui ad terminum vitae suae, vel sibi et heredibus suis in feodo,[3] et in utroque casu potest fieri pro conquerente breve quod vocatur Quod permittat.

De communia pasturae[4] in quo non fiet[5] ea[6] mentio de numero averiorum. In narratione tam[7] de termino[8] debet[9] fieri mentio. Et si in brevi ponatur le solet, vel in eo omittatur, secundum quod conquerens de seisina propria aut de seisina antecessoris sui cuius heres ipse est, voluerit narrare.

De pastura communi pertinens ad liberum tenementum alicuius inquirendum est si conquerens[10] fuit inde[11] in seisina vel non. Et si de seisina sua eiectus fuerit iniuste, fiat pro ipso disseisito breve de nova disseisina de communia pasturae[12] super suum disseisitorem, et mortuo disseisitore fiat breve quod

[1] ten. assignant, C.
[2] eam, O.
[3] feodum, C.
[4] pastura, O.
[5] Insert de, O.
[6] ei, C.
[7] tamen, O.
[8] numero, O.
[9] defet, B.
[10] querens, BC.
[11] indec, O.
[12] pastura, O.

Modus Componendi Brevia

vocatur Quod permittat, in quo fiat mentio de disseisina sibi facta versus heredem disseisitum. Si autem conquerens de ista pastura seisitus non fuerit, inquirendum est ab eo si antecessor eius, cuius heres ipse est, obiit seisitus de pastura illa tamquam pertinente[1] ad liberum tenementum suum, vel inde disseisitus fuerit.[2] Si inde disseisitus fuerit, detur ipsi querenti breve quod vocatur Quod permittat versus disseisitorem sui antecessoris, vel versus eius heredem. Si ipse disseisitor mortuus fuerit, et heres eius[3] pasturam illam sibi deforciaverit, in quo brevi fiet mentio de disseisina antecessoris ipsius querentis[4] facta. Et si alius fuerit inde deforcians quam ipse disseisitor vel eius[5] heres, sicut[6] extraneus perquisitor, disseisitus vel eius heres non poterit[7] habere breve de huiusmodi[8] disseisina faciens mentionem versus extraneum ipsum. Sed in tali casu habebit breve de recto de communia[9] pasturae, non faciens mentionem de disseisina. Et illud videtur durissimum in lege eo quod idem breve de recto per duellum vel per magnam assisam vult determinare, licet antecesor conquerentis de pastura illa fuerit disseisitus.

[1] pertinentem, BC.
[2] Omit to following fuerit, B.
[3] Om., C.
[4] conquerentis, O.
[5] cuius, B.
[6] fuit, B.
[7] potuit, B.
[8] Om., B.
[9] communa, C.

Cum pateat evidentur per ea quae praescripta[1] sunt, quot et quibus modis tenens peti poterit in dominico secundum legem Angliae tempore confectionis huiusmodi doctrinae usitatam, animavertendum est ulterius quot et quibus modis a Rege Edwardo filio Regis Henrici ulterius remedium conceditur ad petendum tenementum in dominicum in magnis statutis suis, anno regni sui tertiodecimo apud Westmonasterium editis, ut in casibus de forma donationis de tenementis quorum servitium detinetur per biennium, et de tenementis in liberam elemosinam datis, et contra formam huiusmodi collationis alienatis. In ipsis itaque statutis diversificantur remedia in quibusdam casibus[2] usitata, ut in casibus ubi prius[3] fieri solebat breve de prohibitione vasti, et super hoc attachiamentum si necesse fuisset. Nunc facto[4] vasto fit breve de summonitione. Et etiam ubi fieri solebat breve de corrodio subtracto, nunc[5] si corrodium[6] subtrahatur breve de nova disseisina in illo casu datur, sicut etiam illud idem breve datur in multis aliis[7] casibus in quibus liberum tenementum prius recuperari[8] non potuit per idem breve, sicut plenius in eisdem statutis continetur. Multa etiam brevia originalia in istis[9] statu-

[1] scripta, C. [2] Ins., prius, C.
[3] Om., O. [4] secundo, O.
[5] tunc, O. [6] corodem, O.
[7] Om., C. [8] recuperare, O.
[9] ipsis, O.

Modus Componendi Brevia

tis sunt provisa quae prius fieri non consueverunt, et in quibus casibus ipsa brevia dari debent in ipsis[1] statutis sufficienter declaratur. Et quia de placito per varias exceptiones dilatorias saepius cassantur, cum[2] quia debito modo in suis casibus non assignantur, tum[3] quia licet debito modo assignantur, tum quia[4] vitium reperitur in forma, et[5] hoc potest esse multipliciter secundum quod multiplex est exceptio dilatoria quae cassat breve per iudicium. Et ad evitandum periculum huiusmodi[6] exceptionum aliquid[7] est[8] subsequenter dicendum,[9] ut minores in confectione brevium praemuniantur de multimodis vitiis per quae brevia cassantur. Et si aliquis exceptiones dilatorias per quae brevia[10] cassantur perfecte[11] intellegeret de huiusmodi vitiis[12] in confectione brevium praemuniri posset hac de causa, tamen[13] contrariorum contrarii sunt effectus; de huiusmodi exceptionibus inferius dicetur, ut ipsis intellectis brevia adeo perfecte conficiantur, ne per illas[14] exceptiones cassantur.[15] Sicut enim effectus exceptionis dilatoriae est breve vitiosum cassare, sic ef-

[1] istis, C.
[2] tum, C.
[3] cum, B. tamen, C.
[4] Om., BC.
[5] Om., O.
[6] Om., C.
[7] aliud, C.
[8] Om., C.
[9] Ins., est, C.
[10] verba, BC.
[11] perfecta, B.
[12] vicus, B.
[13] cum, C.
[14] illos, B. ut per illas, C.
[15] cassentur, O.

fectus brevis debito modo in suo casu confecti[1] est sustinere contra quamlibet exceptionem ne valeat cassari.

Exceptionum aliae sunt dilatoriae, aliae peremptoriae. Dilatoriae sunt quae cassant breve et remanet actio petenti. Peremptoriae sunt quae perimunt[2] tam breve quam[3] actionem, et tam harum[4] quam illarum quaedam proponuntur ratione petentis, quaedam ratione rei petitae, quaedam ante visum terrae, quaedam post visum terrae habitum, quaedam per[5] ipsum tenentem in dominicum, quaedam per vocatum ad warrantum. Et qualiter et[6] quibus modis, videlicet quae primo, quae secundo, quae tertio, et sic deinceps proponi debent, inferius patebit evidenter. Sed quia consuetudo regni[7] Angliae talis est, quod placita coram iusticiariis per narratores in romanis verbis, et non in latinis, pronunciantur; idcirco huiusmodi exceptiones lingua romana in scriptis rediguntur.

[1] confecto, C.
[2] perhimuntur, O.
[3] Ins., ipsam, O.
[4] earum, O.
[5] Om., O.
[6] in, G.
[7] regum, OC.

EXCEPTIONES AD CASSANDUM BREVIA.

Cest le ordre de excepcion a[1] mettre avaunt enpledaunt, nomement quele excepcion deit estre mis avaunt e quele[2] apres. Com excepcion pur bref abatre, ou si le bref ne seit pas abatable coment home purra le plai[3] delaer, ou finalement determiner a touz iours par les excepcions de suz escrites.[4]

E fet assaver qe en le examinement[5] fet moud a regarder lequel le demandaunt cleime de sa seisine demeigne ou de la seisine soun auncestre, ki heir il cleime estre[6] endescendaunt; kar quant les parties sunt demaundez, e il sachent bien qe celui devaunt qi il sunt seit lour iuge, e tesmoigne seit par le viscounte qe celi sur qi le bref vint seit en due manere somonse ou attache; dunke deit home primes[7] bien examiner si hi li ad nul chalenge e mettre avaunt encontre la persone [8]qe est[9] demandaunt, com sount les excepcions qe sunt icy procheinement de suz escrites.

Si lem mesprent en le bref[10] le noun[11] del

[1] pur, C.
[2] lequel, C.
[3] Ins., a tens, C.
[4] dites, B.
[5] comencement, C.
[6] de estre, C.
[7] Om., B.
[8-9] del, BC.
[10-11] Om., A.

demandaunt, com Renald pur Rener, [1]Amice pur Avice[2]; ou le surnoun; ou[3] le demandaunt seit de denz age; [4]ou en cas[5] escomenge; ou del tut devee; ou fol nastre; ou si il ne seit pas heir al auncestre de qi il cleime seisine; kar si rien de dreit aver deust en le heritage tel[6] auncestre, si ad il[7] un parcener Johan de Ros par noun qe ataunt de dreit [8]aver deit[9] en le heritage celui[10] auncestre com le demandaunt, le quel nest[11] point nome en le bref; en coe cas est le bref abatable. [12]Ou qe[13] le demandaunt ad parceners en le bref qe ne suent, e sanz les queus il ne poet pleder; en coe cas serra agarde qe les parceners nomez en le bref seient somonz a sure pur lour partie[14] oue le demandaunt a un autre[15] iour, si il voilent; e si avera dunke [16]le tenaunt[17] par cele excepcion taunt delai.

Ou si femme espouse purchace bref solement en son noun demene sanz nomer le noun de son baron ioint oue lui en le bref, si est le bref dunke abatable.

Ou si femme espouse[18] apres son [19]bref purchace[20] soulement[21] en son noun demene[22]

[1-2] Alice pur Amice, C.
[3] Ou si, C.
[4-5] en cas ou, C.
[6] celi, B., de cel, C.
[7] Om., A.
[8-9] y avereit, C.
[10] de cel, C.
[11] J. ne, A.
[12-13] E si, C.
[14] purpartye, C.
[15] Om., B.
[16-17] lavauntdit bref, C.
[18] Om., B. C, which places this sentence after the one following.
[19-20] barun purchace bref, C.
[21] Om., A.
[22] Ins., e, C.

Exceptiones ad Cassandum Brevia 165

prenge baron pendaunt le plai, si est ensement le bref abatable.

En meme la manere ert si home e sa femme seient joinz en le bref [1]del demandaunt[2] e lun de eus moerge pendaunt le plai. Ou si celui e cele[3] femme parceners as autres demandaunz ne deivent estre respounduz vivaunt son baron kest vileyn. Ou en le[4] plai de dowaire put home mettre avaunt excepcion encontre la persone le[5] demandaunt, com en[6] disaunt qe Alice[7] qe ore demaunde nest pas femmes Roberd[8] de qi douement[9] ele cleime, kar ele ne fut unques [10]a ly[11] par leal matrimoine couplee.[12] E fet assaver qe mult vaut en coe[13] cas al tenaunt demaunder la vewe, e puis voucher agaraunt si il eit[14] garaunt a voucher; e lesser le garaunt quant il avera garantie, e[15] respondre qe le demandaunt nest pas heir al auncestre de qi il cleime seisine; qe[16] si le tenaunt [17]respond si seit[18] a son peril demeine.

Ensement en touz autres chalanges peremptories qe touchent la persone del[19] demandaunt, com excepcion de bastardie, ou

[1-2] demandanz, BC.   [3] sa, B.
[4] Om., BC.   [5] del, C.
[6] Om., B.   [7] Adam, A., Alice de Ros, B.
[8] Richard, B., R., C.   [9] dowarie, C.
[10-11] Om., A.   [12] comple, A., acuple, C.
[13] Om., BC.   [14] Ins., boen, BC.
[15] Om., BC.   [16] kar, C.
[17-18] le respundist, C., ly respoundisist ceo serreit, B.
[19] de, B.

166 Four Thirteenth Century Law Tracts

de vilenage. E si est ensement cesti rule bone a acuns excepcions dilatories tochaunz[1] la persone, kar[2] chalanger la persone del demandaunt gist ausi bien en la bouche del [3] vouche com en la bouche le primer tenaunt, sur qi vint le bref original, sil ad[4] chalenge qe eit regard a la persone del defendaunt tant solement, com sount les excepcions e les chalanges qe sunt icy procheinement de suz escrites.

Si[5] lem mesprent le noun del tenaunt, com Renaud pur Rener, [6]Amice pur Avice,[7] ou le surnoun; ou si lem porte bref sur home e sur[8] sa femme ioinz e le un de eus moerge pendaunt le plai, dunqe chiet le bref; ou sur estraunges en comun, [9]ou sur parceners ioinz tenanz en comun,[10] e acun de eus moerge pendaunt le play, si chiet le bref; ou si lem porte bref sur femme espouse solement sanz nomer [11]le noun[12] sun baron en le bref, si est le bref dunke partaunt abatable, nomement si ele fust espose avaunt le bref purchace; [13]mes si ele prent baroun puis le bref purchace,[14] si est le bref bon ialeplustard; ou par privelege de persone purra le

[1] Om., C., qe touchent, B.
[2] pur, C.
[3] le, B.
[4] y, C.
[5] Cum si, C.
[6-7] Alice pur Amice, C.
[8] Om., BC.
[9-10] Om., B.
[11-12] Om., BC.
[13] Ins., a meme cely barun, C.
[13-14] Om., A. a meme cely baron, mes si la femme seit a ly espuse pus le bref purchace, C.

Exceptiones ad Cassandum Brevia 167

tenaunt dire qe il ne diet ailurs respoundre qe devaunt le Rey ou devaunt[1] [2]soun chief justice.[3]

Ou si[4] citezein de Loundres ou des autres viles privileges qe[5] ne deit de nul play respoundre hors de la cite fors de forreinz tenures, ou de forrein trespas, ou de[6] contracte fete en forrein leu hors de lour cite; ne les barons des cinke portz ne deivent ailurs estre plede[7] ne ailurs respoundre fors en lu certein, [8]cest asaver a Cypeswyche.[9]

Des abbees, priours, e des autre religions, lequel[10] qil seient demandanz ou tenanz, tut adeprimes deit home veer lequel qe[11] il seient perpetuels ou remuables; kar si il[12] seient perpetuels,[13] il ne poent pleder ne estre enplede de rien qe a fraunke tenement apend, e[14] si chiet le bref adunke partaunt. En meme la manere si lem met solement le noun [15]e le surnoun[16] del pleintif qe ad dignete saunz especefier la[17] dignete; com si J. [18]de R.[19] seculer seit mestre de un hospital, e se pleint estre[20] disseisi [21]de un[22] tenement qe il

[1] Om., A. [2-3] ses chiefs justices, C.
[4] Om., C. [5] Om., BC.
[6] Ins., forein, C. [7] enpledez, BC.
[8-9] Ore est asaver de yippeswyke, A., E ceo est asaver a Sipweye, B.
[10] ques, B. [11] Om., B.
[12] Ins., ne, C. [13] remuables, B.
[14] Om., A. [15-16] Om., A.
[17] sa, C. [18-19] rens, A., de Ros., B.
[20] de estre, C. [21-22] du fraunc, C.

cleime [1]estre appendant[2] a memes le hospital saunz nomer sei memes mestre de meme[3] le hospital, si chet le bref.

Est en meme la manere de persone de seinte eglise demandaunt tenement [4]qe il cleime[5] estre apendaunt a sa eglise, saunz[6] nomer sey persone del[7] eglise en le bref. E en meme la manere est de chanon[8] seculer demandaunt tenement e[9] fraunchise apendaunt a sa provendre, si il ne seit nome chanon en son bref de meme la eglise a qi[10] le provendre apend. Ou si il ad certein dignete en cele eglise dount il est chanoun, a[11] quele dignete il cleime le tenement apendre[12] qe il demaunde, com Deen, ou Tresorer, ou Chaunceler, si il ne se face nomer par meme le surnoun de la dignete en le bref, son bref est abatable.

En meme la manere est [13]en dreit[14] del tenaunt,[15] ou del deforccaunt,[16] disseissur,[17] ou desturbaunt, si la dignete ne seit especesie en le bref a laquele il tient les tenemenz ou les fraunchises annexez qe lem demaunde vers lui par bref, si il ad chalenge qe apend au

---

[1-2] a rendre, A., a pendre, C.   [3] Om., C.
[4-5] Om., A.   [6] Ins., rien, B.
[7] de mesmes la, B., de meme cele, C.
[8] checun, A.   [9] ou, BC.
[10] quele, B., la quele, C.   [11] a la, C.
[12] estre appendant, B.   [13-14] Om., A.
[15] Ins., ou del defendaunt, C.
[16] Ins., defendant, B.   [17] disseisaunt, C.

Exceptiones ad Cassandum Brevia 169

bref[1] par defaute de fourme due, ou par defaute de bon count, com sount les excepcions qe sount y procheinement de suz escrites.

Si errour seit en la fourme del bref de cours, issint qe riens ne[2] seit hors de cours; com sil die[3] en le bref de mordauncestre, 'somonez R. qe lavaundite terre[4] lui deforce,' ou lem dust dire, 'qe lavandite terre tient e lavaundite rente lui deforce,' si est dunke le bref abatable. Ensement par defaute de bone fourme en mulz des autres cas.

Ensement avient sovent qe tut seient les brefs de bone[5] fourme en sey si sunt il ia le plustard abatables, purcoe qe il ne sunt[6] purchacez en lour dreit cas as queus il apendent[7] especialement, [8]ne sunt[9] acordaunz; nomement com[10] si[11] lem purchase vers son parcener de la seisine lour comun auncestre le bref [12]de dreit[13] qe taunsolement ad lu[14] enter estraunges, si est le bref abatable.[15]

En meme la manere est de la reverse, cest assaver si le demandaunt porte sur un[16] estraunge bref de renable partie, si est dunke

[1] Ins., ou, C.   [2] Om., B. qe, A.
[3] deit, A.   [4] Om., C.
[5] Om., A.   [6] est mie, C., sunt mie, B.
[7] Ins., e, C.   [8-9] est, C., e ne sunt, B.
[10] Om., C.   [11] Om., B.
[12-13] Om., B.   [14] hom, C.
[15] Omit to following abatable, C.
[16] lui, A.

170 Four Thirteenth Century Law Tracts

le bref abatable. E coe nest pas par defaute de fourme, car les brefs sunt assez de bone fourme en sey, mes purcoe quil ne gisent mye en ceu cas. Ou si defaute seit en counte dount abatement de bref pout surdre; ou cleim aremenaunt de action; ou si lem counte de plus ancien tens qe le bref ne court; ou si lem passe la nature del bref en[1] cuntaunt,[2] com en le bref de ael ou de cosinage, qe sount solement de possession, pur passer outre e tocher le dreit en contaunt; si est le bref abatable.

Ou en bref de trespas, ou mention ne est pas de coe mot contra pacem pur passer la nature de bref en dissaunt[3] en son count qe encontre la pees dieu[4] teu trespas lui fist, si est le bref abatable.

Ensement si le[5] counte descort du[6] bref, com la ou une verge de terre est demaunde vers lun severalement la maite de la verge [7]de terre,[8] e lautre meite vers lautre; si il die vers amedeus encontaunt qe atort lui deforcent cele verge de terre, son bref chiet pur la warentie del counte qe il demaunde [9]en comun[10] vers eus coe qe le bref severe en sey.

En meme la manere est le bref abatable si le demandaunt fet la revers en soun count,

[1] Ins., counte, B. [2] montaunt, A.
[3] Ins., si, C. [4] Om., C.
[5] lem, A. [6] oue le, A.
[7-8] Om., B. [9-10] communement de, B.

Exceptiones ad Cassandum Brevia 171

cest assaver si il seuere en[1] sun count[2] vers eus sa demaunde dont le bref suppose estre iointz[3] tenanz en comun. Si il eit chalenge de mesprision de vile, si coe qe[4] est nome en le bref pur vile seit noun[5] de demi[6] vile ou de hamelet, nomement en le bref de dreit; ou si coe ne seit[7] lun ne lautre; kar si coe seit noun de hamelet ou de autre lu, ou place[8] qe ne seit pas vile, si[9] est le bref abatable. Si coe qe est nome en le bref seit noun de vile, e autre vile seit en[10] le counte qe ad memes le noun, e diverse surnoun dount mention ne seit pas fet en le bref, si chiet le bref partaunt.

Ou si lem demaunde tenement en vile privelege ou teus brefs ne courgent pas, com bref de mordauncestre, ou de cosinage, ou de ael, ou tenemenz sunt devisables, com en citez e en burgs[11]; si sunt en teu cas les brefs abatables par privelege des viles.

Ensement avient qe[12] en memes ceus viles mulz[13] autres brefs ne courgent fors le bref de dreit[14] de dowaire. Ou si la vile nome en le bref seit aunciene demeigne le Rey, ou nul bref ne court fors le petit bref de dreit

[1-2] countant, BC.
[3] einz, A.
[4] Om., C.
[5] Ins., pur, A.
[6] Om., C.
[7] est, B. Ins., ne, C.
[8] Ins., e, C.
[9] dunke, C.
[10] Ins., mesmes, BC.
[11] suburbs, B.
[12] Om., C.
[13] nuls, B., ke weres, C.
[14] Ins., ou, C.

clos,[1] si lem demaunde tenement en meme la vile par autre bref si sunt dunke[2] touz autres brefs abatables. Ou en la purceinte de un memes vile purrunt estre diverse tenures ou le graunt bref overt court e nient le petit, e[3] le reverse. Ou[4] lem poet clamer solom lestat qe le demandaunt le tient, ou qe launcestre al demandaunt le tient de qi seisine il[5] cleime la ou le cas se[6] donne, qe par entre de home forrein pesiblement tenaunt par longe tens com de forrein tenure sanz chalenge de siegnurages fraunchement seit partaunt solempne[7] issue dekes en estat de fraunke tenement quant a celui qe[8] par cele[9] demaunde. Puis deit home regarder[10] e examiner les chalenges qe pussent[11] aver regard au tenement qe est demaunde[12] par bref, com sunt les excepcions de suz escrites.

En checun plai apres vewe fete si deit home regarder si celui sur[13] qi le bref vint fust pleinement tenaunt[14] la terre contenue en le bref original le iour qe le bref fut purchace, ou si il ne la tient pas dunc tote, ou si [15]il ne tient rien[16]; e si il la tient tut lours

[1] mes, C. Ins., E. B.
[2] Ins., partant, BC.
[3] Ins., ou, C.
[4] Ins., ke, C.
[5] est, A.
[6] le, A.
[7] sokemaunerie, C.
[8] Om., A.
[9] Ins., veye le, B., cely wille e, C.
[10] garder, A.
[11] purrunt, BC.
[12] en demande, B.
[13] pur, C.
[14] Ins., de, B.
[15-16] rien ne ne tient, C.
[16] Ins., de la tere, B.

fet a examiner bien coment il la tient, e par quele dreit, e coment il[1] est avenue. E solom coe deit le tenaunt funder e fourmer[2] son plai, puis excepcion[3] pur le bref abatre, ou pur le plai au tens delaier. Ou si coe fere ne poet dunke purra il voucher agaraunt, si il ad parquei si[4] coe seit plai ou lem put voucher garaunt; ou si il nad garaunt convenable lours[5] li convendra memes[6] respoundre. Si lem demaunde vers persone de seynt[7] eglise tenement dount il trouva sa eglise seisie parquei il ne put respoundre saunz le Eveske e le Patron de meme la eglise, si serra dunke agarde qe il seient somons ke il vienent a un autre iour a respoundre oue[8] lui si il volent. [9]En meisme la manere purra Chanoyn seculer dire, si il seit enplede du tenement ou de franchise apurtenaunt a sa provendre dount il trouva sa eglise seisie, qe il ne puet respoundre saunz le Deen e le chaptre de meisme la eglise. E si enfant dedenz age seit enplede du tenement ou de franchise qe li seit dessendu par heritage, il puet dire qe il ne puet respoundre dekes a sun age[10] purceo qe son auncestre morust seisi, e il est[11] einz com son heir e demaunde son age.

[1] Ins., li, C.
[2-3] ses excepciouns, ou, C.
[4] ke, C.
[5] dounke, B.
[6] Ins., pledyer e, C.
[7] Om., A.
[8] a, A.
[9-10] ou, A.
[11] Om., B.

174 Four Thirteenth Century Law Tracts

Ensement la ou lem demaunde[1] vers le[2] eir, e autre partie de terre vers sa mere qe ele tient en dowaire, si fest adire en ceste manere: Primes[3] la femme Maud[4] dist qe ele tient memes[5] cele terre qe vers lui est demaunde[6] en dowaire del heritage un R., fiz e heir J. de Ros jadis son baron, saunz qi ele ne put respoundre. E si[7] vouche ele agaraunt meme celui R. qi present[8] est e lui garauntist, e dist qe de[9] la terre qe[10] vers lui est demaunde, ensemblement oue la tere qe lavaundit Maud[11] tient en[12] dowaire de son heritage dount ele lui[13] ad vouche agaraunt, levaundit J. son pere morust[14] seisi en son demeigne com de fee; e R.[15] dedenz age[16] prie son age. Ou si il dunke seit de plein age meintenaunt respoundra del tut, ou le tenaunt dit qe il tient cele terre qe ore est vers lui demaunde, [17]qe lui est descendu[18] en purpartie del heritage un tel son auncestre qi heir il est, ensemblement oue une A. de Ros sa parcenere qe est dedenz age e saunz qi[19] il ne put respoundre. En teu cas coven-

[1] Ins., tere, B.
[2] celi, B., cel, C.
[3] Ins., pur, BC.
[4] ele, B.
[5] Om., C.
[6] Ins., ou, A.
[7] issi, C.
[8] enpresent, C.
[9] Om., B.
[10] qe de, A., ke en, C.
[11] mere, B.
[12] Ins., son, C.
[13] Om., C.
[14] fut, A.
[15] Ins., est, C.
[16] Ins., e, BC.
[17-18] Om., B., ke ly descendy, C.
[19] quele, C.

Exceptiones ad Cassandum Brevia 175

dra dunkes attendre le age la parcenere tot tenge le tenaunt sur[1] ky le bref vient entrement ou severalement soul en sa partie la terre qe est contenue en le bref.

Ensement le age deit estre attendue par le nonage des acuns des parceners, ausi bien com pur le nonage de toz les parceners, la ou le heritage descent en purpartie[2] a plusurs parceners, qe avaunt la[3] purpartie[4] seit entre eus severalement fete e en comun le tengent. E si[5] lem demaunde vers touz les parceners en comun[6] puis qe la partie est entre eus severalement fete, e dunke[7] checun seit[8] son several; si est dunke partaunt le bref abatable.

Ensement est si lem fet la reverse[9] en le bref, cest assaver si lem demaunde severalement vers checun des parceners coe qe il tient en comun avaunt qe[10] la partie entre eus severalement seit fet, si est le bref abatable.

Ensement est[11] la ou estraunges sunt ioinz[12] feffez de un tenement en comun, si lem demaunde solement le tenement vers

[1] fors, A.
[2] partie, A. Ins., e, C.
[3] ke la, C.
[4] partie, C.
[5] le C.
[6] Ins., nomez tenaunz en le bref, ou si lem demaunde en commun vers eus, C.
[7] dount, B.
[8] fet, C., seet, B.
[9] reversion, A.
[10] Om., A.
[11] ke, C.
[12] iointement, C.

176 *Four Thirteenth Century Law Tracts*

le un de eus saunz nomer les autres en le bref, si est[1] le bref abatable.

Ensement[2] si home demaunde vers [3]un autre[4] home tenement dount lui e sa femme sunt ioinz feffez,[5] [6]si chiet le bref.[7]

Ensement si home demaunde vers le baron soulement tenement en le quel il nad rien[8], si noun par sa femme qe point nest nome en le bref, [9]si est le bref abatable[10]; com de tenement dount il trova sa femme seisie quant il la esposa, ou qe puis descendi a la femme del heritage [11]la femme.[12] Ou si le tenaunt die qe il nad rien[13] si garde noun oue un J. fiz e heir R. de Ros qe point nest nome en le bref, [14]si chiet le bref.[15] Ou [16]purceo qe[17] celui sur qi le bref vint ne le tient fors[18] de an en an a la volunte de[19] un tel. Ou purceo qil tent en vilenage de un tel. Si est le bref abatable.

En meme la manere est si celui[20] sur qi le bref vint die qil nad rien ne[21] rien ne cleime. Ou si il die qe il ne poet de cel tenement respoundre, kar[22] il ne le tent pas

---

[1] Ins., ensement, C.   [2] Ins., est, C.
[3,4] Om., A.   [5] Om., A.
[6-7] si est le bref abatable si la femme ne seit nome en le bref, B.
[8] dreit, A.   [9-10] Om., A., si chiet le bref, C.
[11-12] Om., B.   [13] Om., A.
[14-15] si est le bref abatable, B.
[16-17] si, A.   [18] fors ke, C.
[19] Om., AB.   [20] il, C.
[21] Ins., il, B.   [22] pur ceo qe, B.

ne ne[1] teint le iour qe le bref fut purchace. Ou si li ne poet pas rendre le maner oue les appurtenaunces qe [2]est nome[3] en le bref [4]qe il ne tint[5] pas enterement,[6] purcoe ke[7] un tel Priour est avowe del eglise de meme la vile. Ou purcoe qe en meme la vile ad une verge de terre oue cinke souze[8] de rente, dount celui sur qi le bref vint ne ad rien en demeigne, ne en service,[9] ne en aumoigne.

Ensement si il vers qi lem demaunde [10]tel un maner[11] oue les apurtenaunces[12] die qe il ne tient pas totes les viles qe sunt apurtenaunz a cel maner, [13]si chiet le bref.[14]

Ou fet aregarder[15] si le bref seit purchace pendaunt autre plai [16]de meme les tenementz enter memes les persones en meme la court, ou aillurs; ou pendaunt le plai entre autre[17] demandaunt e[18] meme celui tenaunt de meme le tenement; ou si le demandaunt eit receu homage del primer tenaunt, [19]ou del tenaunt[20] par sa garauntie, ou del prochein auncestre, ou[21] del un ou del autre qi eirs il[22] sount de meme le tenement.

[1] Om., C.
[2-3] sunt nomez, C.
[4-5] pur ceo quil nel tient, B., kar il ne les tent, C.
[6-7] kar, B.
[8] southeez, B., soude, C.
[9] Ins., ne en demeyne, C.
[10-11] teus maners, A.
[12] Ins., etc., A.
[13-14] si est le bref abatable, B.
[15] agarder, C.
[16-17] sur autre, C.
[17] Om., A.
[18] entre, C.
[19-20] Om., B.
[21] Om., C.
[22] eus, A.

178 Four Thirteenth Century Law Tracts

En meme la manere persone de seinte eglise [1]se barre[2] sa action en[3] son tens par feaute resceivere del [4]tenaunt le[5] dreit de sa[6] eglise, com fet home lay par homage resseivere de celi qe tient[7] kest[8] son dreit par descente de heritage. Ou si celui qe ore demaunde eit avaunt porte meme cel bref sur meme le tenaunt, e se[9] seit retret vers lui, issi qe [10]il vint e retrahisit,[11] e se[12] seit[13] entrer en roule des justices, si ne purra il mes aver action vers meme le tenaunt de meme le tenement par semblable bref, nomement qe seit del tut de meme la nature. Mes a[14] plus haut bref purra il bien apres ialeplustard avenir,[15] mes tut eit le demandaunt avaunt porte bref, e il le eit perdu par sa noun sute, issint qe il[16] seit entre en roule en ceste fourme: Talis qui tulit breve versus talem[17] etc., [18]non est prosecutus. Ideo ipse et plegii sui in misericordia. Ou en ceste manere: Talis qui tulit breve versus talem, etc., venit et petiit licentiam recedendi de brevi suo. Et habet, etc. Ialemeins en ceus deus dreins cas ne remeindra qe il ne eit son recoverir, e sa action entre

[1-2] barra, B., barre, C.
[3] Ins., tout, B.
[6] seinte, C.
[8] cum, B.
[10-11] venit et retraxit, C.
[13] fist, B.
[15] aver, A.
[17] Ins., venit, C.

[4-5] Om., B.
[7] Ins., tenement, C.
[9] son bref, C.
[12] Om., C.
[14] Om., A.
[16] Om., A. ceo, B.
[18] Ins., et, A.

vers le tenaunt de meme le tenement par meme coe bref com avaunt. E si est une rule[1] qe de plus bas bref a plus haut bref[2] put home avenir apres, e ne pas de plus haut a plus bas, de un meme tenement entre [3]une meme persone,[4] nomement apres vewe demaunde.

E fet assaver qe en bref de dreit[5] qe se[6] retret apres vewe de terre, il perd son cleim de meme la terre a touz jours vers celui vers qi il se est retret, e vers ses heirs. Coe est purcoe qe le[7] action de dreit dreit[8] est la sovereyne e la dreine de touz[9] actions.

Le bref de mordauncestre e le bref del ael e le bref de cosinage sunt de une meme nature tut ne seit le bref del ael ou de cosinage plede par[10] assise com est le bref de mordauncestre, kar touz ces[11] brefs fount mention solement del tenement dount le auncestre al demandaunt fut seisi en son demene[12] le iour quil morust. E si sount touz ces[13] treis brefs abatables par excepcion de drein sesi, nomement entre les parties la ou le cas del drein seisi est avenu.

Ensement sunt memes les brefs de mordauncestre, del ael, e de cosinage, abatables

[1] Ins., bone, C.
[2] Om., BC.
[3-4] unes meismes persones, B.
[5] dreit dreit, A.
[6] seit, C.
[7] sa, B.
[8] Om., B.
[9] Ins., autres, BC.
[10] Om., C.
[11] les, B.
[12] Ins., com de fe, C.
[13] ses, B., les, C.

la ou le demandaunt e le tenaunt cleiment par une meme[1] descente les tenemenz contenuz en le bref ; e nomement la ou le tenaunt conust en court qe il est[2] seisi de memes les tenemenz contenuz en le bref, com fiz e heir, ou com cosin e heir, ou com autre manere[3] heir de meme le auncestre de qi seisine le demandaunt cleime, e demaunde iogement de soun bref.

Ensement est le bref de nuper obiit abatable par excepcion de drein[4] seisi, nomement entre les parties entre les queus le dreit del [5]plus tard[6] seisi est avenue. Ensement le [7]bref de[8] nuper obiit est abatable si le demandaunt estoit en seisine de une partie des terres, ou des tenemenz, en nun de purpartie dount lour comun auncestre morust seisi; nomement si le demandaunt rien en[9] eust avaunt son bref purchace.

En meme la manere est en[10] plai de dowaire unde nihil habet si la femme qe[11] demaunde fust en seisine en non de dowaire avaunt son bref purchace de partie des terres qe furent a son baron de qi dowement ele cleime, nomement si la femme qe demaunde rien ne[12] eust en nule tens par lassignement meme celui vers qi ele ore demaunde; si est dunke

[1] Om., C. [2] fu, A.
[3] Ins., de C. [4] dreit, C.
[5-6] drein, A. [7-8] Om., C.
[9] Om., B. ne, C. [10] de, C.
[11] Om., C. [12] Om., B.

le bref unde nihil habet partaunt[1] abatable. Ne par nul autre bref de dowaire,[2] ne de dreit, ne de unde nihil habet, ne deit la femme recoverir doweire de celui de qi[3] son baron de qi dowement ele cleime [4]en le[5] bref[6] tient par service de chivaler devaunt qe ele li[7] eit rendu le heir son baron si[8] par lui aloigne est.[9]

E le bref de replegiare [10]de prise de[11] avers atort detenuz, si acun de ceus sur qi le bref [12]vint ne fust en seisine des avers detenuz le iour qe le bref[13] original ist, cest assaver si[14] le bref de replegiare fust issint purchace qe la date de meme le bref ne seit[15] entre le iour de la prise, e le iour de la deliveraunce expressement nome[16] encontaunt, [17]si est le bref abatable par mesprisioun de la date du bref e par mesprisioun du iour de la deliverance nome en countant.[18] E lenchesun de cel abatement du bref, si cst coe mot iniuste detinet, purcoe qe le pleintif suppose en son bref par le iniuste detinet qe les pernours des avers furent en seysine de la torcenouse

---

[1] Om., B.
[2] Omit to following doweire, A.
[3] Omit to following qi, B.
[4-5] cel, C.   [6] Ins., qe, B.
[7] Om., A.   [8] Ins., il, C.
[9] At this point the text of C. ends.
[10-11] des prises des, B.   [12-13] Om., B.
[14] Om., B.   [15] Ins., par, B.
[16] nomement, A.   [17-18] Om., A.

182 Four Thirteenth Century Law Tracts

detenue[1] meisme[2] le iour qe le bref ist de la chauncelerie. E de[3] coe purra il bien[4] failer par deus resuns, ou purcoe qe les avers ne furent unkore[5] dunke prises, ou purcoe qe il estoient avaunt la date du bref deliverez, si en acuns tens usent estez prises.

E la ou le baron e sa femme se pleignent estre disseisi de lour franc tenement dount la femme fust disseisi einz qe ele fust espose, si est le bref partaunt abatable; kar en teu cas dust le bref dire [6]en sey[7] qe[8] J. de Ros e A. sa femme se pleignent qe R. atort e saunz iogement disseysist[9] lavauntdite A. [10]sa femme[11] de sun fraunke tenement puis [12]teu tens.[13] Ou la ou un home e sa femme sunt disseisi de un tenement qe meot de[14] par sa femme soulement, e dount il estoient en seisine emsemble puis qe il estoient esposez, e nomement einz qe[15] le femme eust de lui enfaunt qe fut oy crier entre les quatre pareyes; dount il semble qe title de fraunke tenement dust primes estre au baron del tenement sa femme par la reson de cel engendrure. Si en coe cas se pleignent qe il sunt disseisi de lour fraunke tenement, si est le bref solom le opinion de acune gent

[1] detenuement, A.
[2] Om., A.
[3] Om., A.
[4] Om., A.
[5] Om., A.
[6-7] ensi, A.
[8] Om., B.
[9] disseisi, A.
[10-11] Om., B.
[12-13] le terme, B.
[14] Om., A.
[15] Ins., meisme, B.

Exceptiones ad Cassandum Brevia

abatable. E acune gent dient qe en checun cas la ou la femme ad fraunke tenement, ou de soun purchaz, ou de son heritage tut ne eit ele engendrure de son baron, ou de son dowere del dowement son primer baron, qe soun secounde baron ad fraunke tenement ensemblement oue[1] la femme vivaunt meme cele femme. Ou la ou celui sur qi vient le bref de novele disseysine de comune pasture dist qe il nest pas tenaunt del tenement, ou le pleintif cleime comune,[2] e qe il[3] ad mis en sa vewe, purcoe qe il out[4] avaunt le bref purchace vendu[5] le soyl a un autre qe ore le tient, e point nest nome en le bref; si est le bref dunke abatable.

En meme la manere del bref de praecipe, quod permittat, de comun[6] pasture. E en meme la manere est quant home qe nul[7] tenement ad de par sa femme soul se pleint estre disseisi de comune[8] pasture apurtenaunt a soun fraunke tenement en tele vile en laquele il nad rien si par sa femme noun, saunz nomer sa femme en le bref, dunke[9] partaunt si est le bref abatable, etc.

[1] Ins., cele, B.
[2] communer, B.
[3] Ins., se, B.
[4] Om., A.
[5] vendi, A.
[6] Ins., de, B.
[7] acun, B.
[8] Ins., de, B.
[9] Om., B.

PRESS OF
THE NEW ERA PRINTING COMPANY
LANCASTER, PA.